略傳

一九一五年六月：夢參老和尚出生於中國黑龍江省開通縣。

一九三一年：在北京房山縣上方山兜率寺，依止慈林老和尚剃度出家，法名爲「覺醒」。但是他認爲自己沒有覺也沒有醒，再加上是作夢的因緣出家，便給自己取名爲「夢參」。

同年在北京拈花寺受比丘戒，戒期圓滿，南下九華山，朝禮地藏菩薩道場，正遇上六十年舉行一次的開啓地藏菩薩肉身塔法會。由於因緣殊勝，爲老和尚爾後弘揚地藏法門種下深遠的影響。

一九三二年：轉赴福建省福州市鼓山湧泉寺參訪，他對湧泉寺當時的一切境界似曾相識，彷彿故地重來。

當時虛雲老和尚於鼓山創辦法界學苑，並請慈舟老法師主講《華嚴經》。

他決定依止慈舟老法師學習《華嚴經》，歷時半年，仍無法契入華嚴義海，遂親自向慈舟老法師請法，之後決定以拜誦〈普賢行願品〉、燃身臂供佛的苦行，開啓智慧。

除依止慈舟老法師，學習《華嚴經》外，更旁及虛雲老和尚的禪法，有時也奉慈舟老法師之指示，代講經論，諸如《阿彌陀經》等等。

一九三六年：赴青島湛山寺，依止倓虛老法師學天台四教，並擔任湛山寺書記，負責倓虛老法師的庶務以及對外連絡事宜。

在湛山寺擔任書記期間，一方面向倓虛老法師習天台四教，及宣揚慈舟老法師的戒律精神。隨後奉倓虛老法師之命，禮請慈舟老法師北上青島湛山寺講律，又護送慈舟老法師到北京，開講《華嚴經》。

一九三六年底：再度奉倓虛老法師之命，赴福建廈門萬石巖，禮請弘一大師北上弘律，歷時半年之久。因《梵網經》的請法因緣，弘一大師同意北上湛山寺，開講〈隨機羯磨〉。

一九三七年：擔任弘一大師的侍者半年，以護弘老生活起居，深受弘一大師身教的啓發。當時並就近依《占察善惡業報經》所描述的占察輪相，請弘一大師親手製作一付，以供修習。

弘一大師爲了答謝他擔任半年的外護，親贈手書的「淨行品」偈頌乙本。

一九三七年至四〇年：隨同倓虛老法師在長春般若寺傳戒，講四分戒律，並往來於東北各省、北京、天津、山東等地，講經弘法。其間曾接觸來自西藏的藏僧，引動了赴西藏學習密法的因緣。

一九四〇年：由北京至香港、新加坡、印度弘法並朝禮佛陀遺跡。

一九四一年：轉赴西藏拉薩學習密法，住在西藏黃教三大寺之一的色拉寺學習經論五年，依止夏巴仁波切，赤江仁波切，並因能海老法師的引進參拜康薩仁波切。

一九四五年至一九四九年：轉赴西康等地參學，總計在西藏學習密法達十年之久。

一九五〇年：由西藏返回中國內地，被錯判刑十五年，勞動改造十八年，入獄長達三十三年。在獄中，他經常觀想一句偈頌：「假使熱鐵輪，在汝頂上旋，終不以此苦，退失菩提心。」奠立了爾後重回佛教，弘揚佛法的信心。

一九八二年：平反出獄，回北京任教於北京中國佛學院。在這段時間如法修學地藏法門，重啓弘揚經論的智慧。

一九八四年：接受福建南普陀寺妙湛老和尚、圓拙長老之邀，到廈門南普陀寺重建閩南佛學院，並擔任教務長一職，開講《華嚴經》、《法華經》、《楞嚴經》、〈大乘起信論〉等。

一九八七年：應美國萬佛城宣化上人之邀，赴美數月後返回中國。

一九八八年：應美國洛杉磯妙法院旭朗法師之請，再次赴美弘法，開講《占察善惡業報經》、〈華嚴三品〉、《地藏經》、《心經》、《金剛經》、《華嚴經》等，並數度應弟子邀請到加拿大、紐西蘭、新加坡、香港、台灣等地區弘法。

二〇〇四年：現常住五台山靜修，並於普壽寺開講《大方廣佛華嚴經》預計四年圓滿。

地藏菩薩本願經 卷下

目錄

略傳 1

校量布施功德緣品 第十 11

地神護法品 第十一 49

見聞利益品 第十二 77

囑累人天品 第十三 179

地藏菩薩本願經《卷下》

夢參老和尚 主講

校量布施功德緣品 第十

下面是第十品，〈校量布施功德緣品〉。緣者就是助成的意思，是講用布施的力量來成就我們的功德。我們要想成佛就必須行菩薩道，行菩薩道就得行六度萬行，六度以布施爲首，布什麼呢？布施慳貪，度我們的貪心，這一品就是來比較一下。校就是考的意思，考量一下，考核一下，考核這個功德。人家供養一塊錢，你供養十塊錢，人家得到功德了，你卻沒有得到功德，原因是什麼呢？你的心是輕心、慢心、驕傲心，或是自滿心，所以你拿了十塊錢給人家功德很小，人家拿一塊錢給的功德比你大千萬倍。

我們經常講布施，布施有幾種？一般有財施、法施、無畏施，以金錢物質幫助別人，屬於錢財之類的，這叫財施，我們給人說法，講道理，說佛的教導給人家聽，讓人家脫離苦難，這叫法施。別人有恐懼了，我們給他安慰，給他壯膽，減少他後顧之憂，讓他不要害怕，這是無畏施。觀世音菩薩就是給眾生無畏施的多，你念觀世音菩薩心裏就不害怕，要是走夜路，聽到響聲你會害怕，念觀世音菩薩，心就穩住了，不怕了。大家都念過〈普門品〉，一念觀世音菩薩名號，危難就消除了，這是第三種的施，無畏施。

還有兩種田，什麼田呢？就是敬田，悲田。如果把財物施給眾生，這叫田，大家悲心憐憫他很痛苦，你給他錢使他生活好，他就不痛苦了，這叫悲田。敬田，供養自己的父母，供養自己的師長，在家的師長也算在內，生起恭敬心，這叫敬田。雖然也是布施的一種，但這種布施有些不同，必須有供養心。

這裏有很多的故事，大家都知道，釋迦牟尼佛拿他的身體布施老虎，也屬於財施，老虎餓得張不開嘴，他拿他的肉身來供養老虎，還有割肉給鷹吃；投身飼虎，割肉餵鷹，這都是釋迦牟尼佛在因地當中的事。也有犧牲自己的生命救度別人的，如果自己犧牲了，能夠救度好多人，他們可以愉快一點，那就犧牲自己的生命，這也是一種布施。

如果是你在觀想，說這個身體本來是假的，我利用這個身體來供養佛，例如出家人用燃身臂、燃手指頭供佛，佛要你的手指頭做什麼？你燒了，佛得到什麼？拿這個供佛是什麼意思呢？我們講性空，把身體看成是色蘊，色蘊是空的，如果不痛，你觀想著空了，或者是你在燒的過程中像燒別的東西一樣的，你的肉體沒有了。就是這個道理，欲以此來供佛，這是供你自己的心佛。

布施的意義太多了，在每部經每個論都會講，六度之首，四攝之先。四攝法，布施、利行、愛語、同事，以布施爲首，六度萬行，也是以布施爲首，這說明了捨很難。若說我沒有東西給人家，看見衆生在那裡很苦，但我自己也很苦，這時你有大悲心就可以了，這叫法施，以法布施，心裏憐憫他同情他，有這麼一念心，功德無量。例如說我內心掙扎了很久，勉強掏出十塊錢給他，這種輕心慢心的福德是很小的，這是這一品的意義。

「爾時，地藏菩薩摩訶薩承佛威神，從座而起，胡跪合掌白佛言：世尊！我觀業道眾生校量布施有輕有重，有一生受福，有十生受福，有百生千生受大福利者，是事云何？唯願世尊爲我說之。」

這是啓請，地藏王菩薩說完稱佛名號的法門之後，他又說一種方便，但是這種方便是請佛說，不是地藏菩薩說。他說：「我對於南閻浮提衆生，布施的功德很不理解，同樣都是供養十塊錢，有的一生受福就完了，有的十生百生千生福利受的無窮無盡，這是什麼原因？」請佛給他答覆。爲什麼說承佛力呢？凡是在會中請法利益大衆的，都是承佛的神力，沒有佛的神力，我是不會想起來問的，就是這個意思。

每位菩薩請法的時候，發起的因緣都如是，因此就從自己的座位起來，請法就是右膝著地，這叫胡跪，胡跪者就是跪一條腿。胡是互相的互解，互相交換的意思，或者一條腿跪久了，跪到疲勞了，左腿疲勞了再換右腿，互相交換的意思，胡跪是請法的意思。請佛說布施的功德，爲什麼有這麼多差別？行完了禮，就是表白，「白佛言」，就向佛說：「世尊，我觀業道衆生」，業道是包括善業惡業，但是我們現在說這個業道是善業，善業這條道路怎麼走？我看見行善業的這些衆生，他們的功德不一樣，校量就是分析、比較一下，爲什麼不同呢？一樣的事情爲什麼有輕有重？爲什麼有的受福受得多？爲什麼有的受報得少？就是這樣的意思，這是地藏王菩薩有疑惑，請佛給他說。這是剛請佛，佛還沒有開始說法。

我們先講個故事，在藏經中，有一個印度人，撿了一朵花，花是金黃色的，很莊嚴。他想先插到他腦殼上莊嚴一下，後來一想這個腦殼是無常的，他要是死了，狗吃了，狐狸吃了，其他什麼動物吃了都不一定，他不配戴這朵花，就沒有把這朵花放到他腦殼上。用手捧著到寺廟裏來了，他看見釋迦牟尼佛像，很莊嚴，他就念佛，因爲念佛的功德，他身上頓時發熱，每個毛孔都張開了。供花的時候，他想，佛是大慈大悲的，佛是智慧的，佛是福慧兩足尊的，佛一定能加持我，他是以這樣誠心供養花。供養完了，他說：「我供養花究竟有好大功德呢？」心裏衡量供養這朵花的功德，他自己不知道，就找一位比丘問，他說：「大德啊，我剛才以這樣一個心情，我身上有這麼一個反應，以這麼一朵花供養佛，功德有好大呢？我將來要得好大的果報？」這位比丘說：「我剛出家受戒不久，只知道離世間的痛苦，其他的我不知道，我沒有道德也沒有讀過經，也沒有讀過書，你問我這個，我沒法答覆你，你找一個讀經的法師去請問他，看你這朵花供了之後，有好大的福德？」他又找到一位讀經的法師，這位讀經的法師說：「你供這朵花好大的功德我不知道，我也沒有神通，我只是讀經，我自己求福德，供花的功德，經上說是有的。你這枝花供的功德多大我不知道，你去問坐禪的阿羅漢，他有神通，他是證阿羅漢果的。」這時佛涅槃之後還沒有很久，證了阿羅漢果的道人還很多。於是供花的人就去問證得六通的阿羅漢了。他問大德：「你已經得了阿羅漢果，你知道我供花有好大利益？」

這位羅漢就入定觀察了。觀察完了，他說：「我看到你供養這朵花，你身體的報身捨了之後受天上的福，一生至千萬億世，這是一大劫。從一大劫到八萬大劫，你的福還沒有完，以後的我就不知道了。」因爲羅漢的神通只到八萬大劫，再上去他不知道了，圍著湊熱鬧的人就問阿羅漢說：「你老人家有神通，你答覆不出來，就到天上去問彌勒菩薩吧！」於是這位阿羅漢一入定，他的靈魂神識就到兜率天去問彌勒菩薩了，彌勒菩薩說：「這人只受世福，果報還沒有盡，這種事唯佛與佛乃能究竟，一切補處菩薩都不能究竟，你等我下去成了佛之後，再來跟你說。」

這是說他以這樣心情供養一朵花，彌勒菩薩都說不盡他的福德，供養一朵花就有這樣的功德。布施的功德還得隨你的心，物質的多少在我們世俗的眼中是有關係的，在聖境的眼中就不在乎了。這段故事是說，大家在供養布施的時候，不但給他物質上的供養，還要法供養，願他不貪著世間的福德智慧，願他將來一定能成佛，那你這個功德就沒有辦法說了，惟佛與佛乃能究竟。

「爾時，佛告地藏菩薩：吾今於忉利天宮一切眾會，說閻浮提布施校量功德輕重，汝當諦聽，吾為汝說。地藏白佛言：我疑是事，願樂欲聞。」

因為地藏王菩薩請佛辨別校量布施的功德，佛就答他說，我今天在忉利天宮給一切參加地藏法會的人，說一說閻浮提世界布施功德，考核一下，為什麼功德有輕有重？「汝當諦聽」，你應當如實的諦聽，我來給你說，你應當如是的聽，我如是的說。「地藏白言我疑是事，願樂欲聞。」我請佛說，就是我懷疑這件事情，我很高興聽，很願意聽，以下佛就告訴他。

「佛告地藏菩薩：南閻浮提有諸國王、宰輔、大臣、大長者、大剎利、大婆羅門等。」

在這個世界上，我們知道這些人都是有地位的，有才識的，有權力的，是能施的人。要校量布施，先說能布施的是哪些人，如果這些人布施，以他的尊敬心、慈悲心，對於貧窮的，六根不具的，他能親自跟他軟言慰諭，很慈悲很祥和的安慰他，布施的功德就很大，一生受福，百生受福，乃至死了之後做國王。如果是丟個錢不屑的給他，這樣的話，這個福德很小。我們要是拿他當作父母般恭恭敬敬的遞上，完了跟他說幾句柔軟語，如果再勸他：「你今生受苦難是因爲沒有信佛，你應當念佛名號。」雖然他有業障障住了不會相信，但是這個音聲歷了他的耳根，善根就種下了。

我們前面說過了，他聞到這個聲音，一歷耳根，他的功德就得了那麼多。我們見到人家，不管他信不信，你念聲佛，譬如坐車、坐大巴士或坐飛機的時候，你念一聲佛號，或者發願說，我將來當了法師，你們都做我的弟子，我都度你們成佛。你認爲這沒有什麼，你可是結了大緣了。你想你一生該坐好多次輪船，該坐好多次飛機，遇到人多的時候，特別是到飛機場，在等機的時候，人來人往多的很，你就發願，也不用管人家懂不懂，反正你盡你的心，功德不可思議，這是我們肉眼、肉身、肉耳不能知道的。

「若遇最下貧窮，乃至癃殘瘖瘂，聾癡無目，如是種種不完具者。」

六根不全，所以就慈悲收攝他、憐憫他，他生下來就六根不全，這些人都是從三惡道中出來的。佛前面說能布施的人，就是國王、大臣、宰相、大富長者、婆羅門。受施的人，也就是領受別人布施、施捨的人都是哪一類呢？「若遇最下貧賤，乃至癃殘瘖瘂，聾癡無目，如是種種不完具者。」這以下就是講悲田。

現在先講悲田，田就是土地，田有生長的功能，我們種下的糧食它要生長，種下的菜黍它要生長，田地的作用就是生長，現在我們想求福，這個田就是生福的田。悲田，悲是大悲心的悲。布施、施捨的時候，你要有大悲心。一般人都是憐憫心，唉呀，好可憐，這句話有人愛說，或者看到誰受痛苦，你產生一種同情心，認爲他很可憐，怎麼辦呢？可憐還是可憐，也不能拔除人家的痛苦。

悲田是解決別人的痛苦，你只能拔除他的痛苦不行，還得給他一種快樂，就是慈，你要給他快樂，使他心裏愉愉快快的，雖然是窮，窮的很愉快，雖窮就不窮了。若是貪得無厭，即使成爲億萬富翁，還是很窮，還帶了很多的障。我今天看報上說，在美國有位很著名的富人，但他欠了五十億美元的帳，如果向他要債，他是還不起的，富不富就是建立在心上。

《地藏經》全是講緣起的，從一開始就是善惡因果，遇佛的殊勝因緣，都是緣起，凡是緣起法都是無自性。大家學佛的時候，一定要懂得性空緣起，緣起性空，一切無障礙，說大乘也通，說小乘也通，說念佛也通，說坐禪、修密都可以，無論顯密禪淨五教四教，隨便哪一法，都不能離開性空緣起。你必須得懂得這種道理，你的大悲心生起了，生起了之後不落愛見大悲，不從情感上出發，而是從理性上這樣做，因爲這個是順清淨的那個部分，順空性，這是根本的。

所以在緣起法之中講布施，你就得校量考核一下，怎麼樣做才能合適，才能順眞，我們不是想功德嗎？怎樣做功德才大，你不是想福德嗎？你怎樣做才能有福德。同是一件事情，如果你的迴向用心，用的小，功德不大，供養一朵花，供養一枝香，這個福德可能是無窮無盡的。因此，現在地藏王菩薩所問的問題關係很大，畢竟我們不是很富有的，反正生活有飯吃，有衣服穿，有房子住，沒有到大富大貴的地步。我們要種福田，知道這種因緣怎樣種法呢？最尊貴的人要是遇到最下賤的人，他應當怎樣布施才有福德？依佛跟地藏王菩薩所說的方法，這樣去做，你的福德很大。佛說這些有權有勢有財富的人要是遇到最貧窮的人，該怎麼做。光貧窮還不算，還有病癃，癃閉。閉者不通，以前我沒有聽說過這種病，後來在勞改時走了很多醫院，送很多奇奇怪怪的病人去，這種病還多得很，在醫院裏單有一科大小便不通，解不下來，叫便秘科，這就是癃，這是一種解釋。另外一種癃是老了，老態龍鍾，也就是駝背，後頭鼓出一塊來那叫隆，隆起的隆，這些都是一種病態。殘，是六根不全，瞎子、禿子、跛子、瘸子都屬於殘。瘖瘂，發不出音聲來就是啞巴。聾，耳朵聾了，聽不見了，耳根壞了。癡，就是精神病，變成白癡的。無目，就是瞎子。如是種種，除了貧窮，而且還有病。

當你布施的時候，如果碰到這些人了，你要生起大慈悲心，特別是學佛的弟子，不是給他幾個錢的問題，錢只解決一頓飯，你也供不起他，你能把他請回家供養起來嗎？決不會的，你僅僅施給他幾個錢，施捨錢只能解決一時的問題。你能怎麼辦呢？應當在財施當中加上法施，給他說法。為什麼現在這麼可憐，這麼造罪，是因爲你過去做的不好，你要給他念點佛號，教他念，雖然他可能不會相信的。但是讓他耳根能聞到地藏王菩薩的聖號。要是在四大名山，在五台山念文殊菩薩，在九華山念地藏王菩薩，在峨嵋山念普賢菩薩，在普陀山念觀世音菩薩，他也跟著你念，在財施當中加上法施，解決他永久的問題。他念了以後再不受窮，這是講世間相，他自己本身是很尊貴的，又有地位又有錢，對於很卑下的人，能以慈悲心、平等心對他產生尊貴心不輕視他，親手布施給他，乃至於用好言語安慰他，還給他說法。

「是大國王等欲布施時，若能具大慈悲，下心含笑，親手遍布施，或使人施，軟言慰諭，是國王等所獲福利，如布施百恆河沙佛功德之利。」

前面是受施的人，這裡是能施的人。能施的人用大慈悲心產生一種殊勝感，因爲他就是你的善知識，成就你的菩薩道，成就你的福德智慧。要是沒有這種對象，你的福德智慧修不成，涵義就是這樣，你要做如是觀。假使說你對他有慈悲心，還能軟言慰諭的，用這種態度來布施他，那就是平等。這種布施遍一切處，遍於法界，雖然你的對象是一個人或是幾個人，但你的平等心遍於法界，所以才說這個功德比布施一百恆河沙那些佛的功德都大，什麼原因呢？因爲你的心量超過供養一百恆河沙諸佛的客觀現實境界，這個是理，理能成事。

我爲什麼要講性空緣起，因爲性空故而成就一切法，因此功德才大，一切有都建立在空上，《金剛經》說一切的賢聖都以無爲法而有差別，但這裡是在有爲法上顯的差別。例如我們看到大悲心的菩薩，他見到衆生的痛苦，就如同身受，他就發願代衆生苦，他說這個痛苦加到我身上好了，我願意替衆生受苦，願他們享樂，這是普賢十大願王最後的迴向願，所以有智慧的人布施跟沒有智慧的人布施是不一樣。

《優婆塞戒經》裏有這麼一段故事，有一位菩薩得了一團飯，如果自己吃了可以保命，如果自己不吃捨給別人，讓別人保命，自己寧可死，這種未來的福德是不可思議的。因爲菩薩不求福德，不求來世的果報，求一切衆生都成佛，他是這種的心量，把這種福德回到性空緣起，把緣起回到性空，還要證得了佛性，這種功德不可思議的。

既然是這樣，還得回來說世間相，知道慳貪沒有好處，我們就練習行布施。因為我們的捨心不大，就像中國的老話，人不為己，天誅地滅，總是替自己打算多，為別人打算少，如果把這個變化一下，替別人打算的多，為自己打算的少，你當生就是菩薩；如果你能念念就這樣做，你念念就是菩薩；你能有十念這樣做，就是十念的菩薩；一百念是一百念的菩薩，一生都這樣做，你一生就是菩薩，來生不去三惡道了，生生世世都順著佛性走，很快就成佛，要經常這樣觀想。

布施的物質是有限的，隨便你布施好多也是有限量，但是內在的心量是無限的，一束花，一枝香，用我們的心力把他觀想成無限量，這就超過我們現在講的這個境界了，像《增一阿含經》、《優婆塞經》、《十善業道經》，這只是按人天因果，求福德，得到的是不受窮，來生富有，這是人天的因果。我現在講的是讓大家擴大心量，遍滿法界都是成佛的因果，現在我們就用那一分錢，供養給人家布施給人家，這就是成佛的因，就是種子，我希望大家這樣來布施，這種布施就是調心。

「何以故？」

什麼原因？這是徵啓的意思。

「緣是國王等，於是最貧賤輩及不完具者發大慈心，是故福利有如此報，百千生中常得七寶具足，何況衣食受用。」

這是重覆前面的經文，「發大慈心」，發了一個大慈悲心，除了物質的布施，另外要布施歡喜，那個受施者一看到國王對我這樣子，他起碼高興好多天，給他錢，他還不大高興。假使說，兩歲的小孩，警察跟他握握手，他回來迫不及待的跟媽媽說：「今天警察跟我握手了！」拿這個做例子，警察有什麼了不起，可是在孩子心目中，警察很威風，警察都跟他握手了，他就很高興。假使說國王去布施一個窮要飯的，還親自給他，你說那個要飯的該高興好多天！到處碰見要飯的就說：「今天國王親自給我的！」很多人誰給他寫封信，當權者或者接見他一次，他會經常的吹噓，跟他握握手更了不得了，再請他吃頓飯，可能不知道自己姓什麼了。為什麼這樣呢？衆生心，行菩薩道的人要體會衆生心，所以地位愈高，你愈卑下，愈能跟他平等。

我們該知道平等的力量有好大，體會到他的心，那個心力能使他連生命都不顧，佛教導我們，生命是緣起的，你不要把它看得太重，這個沒有了，下面還會來，這個房子不好還可以找一個好房子，再搬家會比這個還好。

所以你布施普通的一個窮要飯的人，用這樣態度來對待他布施他，你的果報就像布施百恆河沙的功德一樣的，因為這樣的布施使你未來的果報常得七寶具足，何況是衣食豐足。

所以有智慧的人才能這樣布施，沒有智慧的人、愚癡的人，他的布施就差勁了，果報也差勁了。「復次，地藏！若未來世有諸國王至婆羅門等，遇佛塔寺，或佛形像，乃至菩薩、聲聞、辟支佛像，躬自營辦供養布施，是國王等當得三劫為帝釋身，受勝妙樂。若能以此布施福利迴向法界，是大國王等於十劫中，常為大梵天王。」

迴向，迴是回轉來，向是趣向，我把我做的這個功德回轉來，把它趣向一個什麼地方，這是迴向。我做這個福德，利益人了，甚至捨生命讓別人活著，自己不活，這個功德不小，也不太大。如果你把它迴向了，一轉眼，這個福德就大了，迴向給法界；法界，是無界限的，法是心，心沒有限界，迴向法界就是用你的心量迴向所有的一切，遍一切時一切人，這迴向功德就不可思議了。還有你迴向十道、二十道都沒有關係，念完經先迴向我的六親眷屬，以此誦經的功德迴向我的六親眷屬，乃至於跟我認識的人都得到幸福。另外把誦經的功德，再迴向法界眾生，或者是有人求你，希望你給他迴向，你又迴向給他，這叫輾轉迴向，無窮無盡的迴向，這個功德愈來愈大，就像我們北方所講的滾雪球，愈滾愈大。

你最初念經的功德，假如這個迴向的功德迴向的很大，能夠產生很大的效果。把這個布施福德所得的利益迴向給法界一切眾生，這個布施的國王能得的果報是什麼呢？十劫生生世世做大梵天王。大梵天王的壽命跟我們人間的壽命差太遠了，大梵天王的壽命是六十劫，把這六十劫做爲一劫，他死了，死了又生，生了又做大梵天王。大梵天王還是有壽命的，他壽命有盡的時候，天福盡了又受生，受生又生到大梵天王十劫，生生世世爲大梵天王。

以這個迴向的功德能得到這麼多的報償，這個報償還沒有完，爲什麼呢？歷來每尊佛成道之後，最初的請法者都是大梵天王，而且他請的是大乘法，在十大劫當中他會見過好多佛，他聞了法還成不了道嗎？決定成佛。就是以這個布施，加上他的態度、迴向，他所得的福德就是這麼一個福德，這是智者的布施。

翻過來就是不智者，就是愚癡。像我們供養三寶也好，或者幫助道友也好，特別是助念的念佛，那不是物質的布施，而是法布施，但是你應當把助念的功德迴向給大家，迴向給一切衆生，不要單給助念的那一個人，迴向一個人功德很小，只局限在他一個人身上，如果你迴向法界，那就無窮無盡了。今天在這個時辰死的人，我都給他助念了，以我的心力、以我念佛的佛力，把他們都送到極樂世界，這個功德就大了，我們平常講修行，只要能照這樣修行就是普賢行了，會很快成佛的。

「復次，地藏！若未來世有諸國王至波羅門等，遇先佛塔廟或至經像，毀壞破落，乃能發心修補。」

前面講的是世間，對待病苦窮人的功德，講的是悲田。現在這是敬田，假使說未來世的這些國王，乃至於婆羅門、宰輔大臣等，遇到過去佛的塔，廟就是寺院，或者是經書；「毀壞破落」，你看見那廟、佛像、廟裏塑的像，牆壁有毀壞的，或者經書有毀壞，殘缺不全，你發心修補，這個功德跟前面那個布施窮人的功德就不一樣了。或者是自己發心修補，補經補像，這裡說的是舊的不是新造的，不是你自己去造一尊像，塑一尊像。先佛是過去的佛，釋迦牟尼佛也算先佛，但就我們這個末法時候而言，釋迦牟尼佛還是我們的教主；毘婆尸佛、拘留孫佛，就屬於先佛，過去佛。我們廟上不是有三聖像嗎？有的彌陀殿供養彌陀佛，有的是藥師佛，有的是五十三佛，有的是三十五佛，你看見這些像壞了，你把它補一補，經書跟佛像千萬不要燒。

那天有位道友向我說，像香上面的包裝，有些宣傳的包裝紙都有觀世音菩薩像，他問這怎麼擺？把它燒了可以嗎？我說：「你還是把它拿下來或者貼補貼補，把它收起來保存，萬一到末法時候，大家看不到佛像又猛然間撿到，翻出來見到佛像，他也種了功德。」

以前在北京的時候，我有好多經書，都是從舊書攤買回來的，有些是絕版書，沒有了，像《華嚴三昧章》這部經書在藏經裡沒有了，楊仁山老居士，託他的日本友人，在日本找也找不到，他託了好多人，遍世界找，後來有一個日本人到朝鮮旅遊，在朝鮮的舊書攤上看見這本書了，把它請回來。我在大陸上講過《華嚴三昧章》，也印了很多。你別只看這個時候，說不定什麼時候，因緣成熟就發現了。

所以修補經典，裝理佛像的功德是不可思議的，比起布施的功德大多了。這一品就是校量布施功德，如果有人這樣做了，他的功德不可思議，這是說自己，自己修補，盡自己的力量。這裡也不是說裝修的很好，因為佛像脫落了，你拿點泥巴，或者拿黃紙把它這麼沾上，不要露出木頭來，這也算是。

你買不起金子，你如果另外拿黃紙把它貼上，都算貼補裝理佛像，當然一個人的力量還是很小。

「是國王等，或自營辦，或勸他人。」

或者是自己去做，自己經營辦理這件事或者勸別人去做。

「乃至百千人等布施結緣，是國王等百千生中常為轉輪王身，如是他人同布施者，百千生中常為小國王身。」

這是敘說自己做或者找人家做，他所感的果報，就是百千生中常做國王，常做轉輪王，其它跟他共同贊助做的人，就轉為小國王。我剛才講那個是用那個方法迴向，如果這個你也迴向，不要去做國王，做國王如果治不好，反倒造罪了。最好迴向佛道迴向成佛，不要希求國王的果報。我們現在念經讀誦聞法，都迴向成佛，其它都是次要的。成了佛還是要度衆生，使一切衆生都不受苦，都脫離厄難，讓一切眾生都能夠明瞭緣起性空。

「更能於塔廟前，發迴向心，如是國王乃及諸人盡成佛道，以此果報無量無邊。」

前面是布施窮人的福報迴向，這裡是裝理經典，乃至於修補佛像。你要是塑佛像或者請尊地藏像、請尊釋迦牟尼像，或者請一部經，印多少部經，功德就更大了，這是就最淺的說。像我們大家共同印了一千部《地藏經》，大家都有份，我們共同的把這個功德迴向給法界一切眾生，願法界一切眾生都能成佛道，那麼這個果報是無量無邊。其實你做一點小事都可以這樣迴向，現在做的世間事業可以不可以迴向呢？可以迴向，也跟修補佛像一樣的，就看你怎樣用心。開飯館業，你就迴向，讓一切眾生都得吃，永遠沒有餓鬼，沒有三惡道，你是供養一切眾生。你是學建築的，願一切眾生都住宮殿式的樓房，人人都住在那個樓房。

也有人問我說：「我發願能成嗎？我發了願了，他們就都有得吃了？」

我說：「地藏王菩薩發願讓地獄永遠空著，地獄能空嗎？」釋迦牟尼佛發願，把這個世界衆生都度盡，結果他還得囑託地藏王菩薩，囑託彌勒佛，見一位菩薩囑託一位菩薩，度不盡的。這是他發的願心，我說你要是這樣比較，你就是局限了。這不是空話，一點也不空，造業也是空的事情，你爲什麼要造業呢？一樣的用心爲什麼要往那方面用心？爲什麼不往這方面用心呢？是你成佛的願力，當然還是能達到的，這就是發願成佛。

「復次，地藏！未來世中有諸國王及婆羅門等，見諸老病及生產婦女，若一念間，具大慈心，布施醫藥、飲食、臥具，使令安樂，如是福利最不思議，一百劫中常爲淨居天主，二百劫中常爲六欲天主，畢竟成佛，永不墮惡道，乃至百千生中，耳不聞苦聲。」

究竟了義是不容易的事，所以佛又拿世間的功德來比，因爲《地藏經》多數還是屬於世間的，還是講布施。

未來的時候，有諸國王及婆羅門看見老人、病人、生產婦女等苦難重的人，布施他們，使他們安樂。我們一般人沒有什麼苦痛，向道心就差了。飢寒起道心，過去的人說飢寒起盜是指盜賊的盜，我們說飢寒起道心是指修道。有苦難時，飢寒逼迫時才會想修道，病是八苦的一種，有錢也買不到。老本身就是苦，誰也幫不上忙，眼睛看不見了，耳朵聽不見了，雖然現在有助聽器，有眼鏡，總是麻煩的多，老跟病總是連著的，一老了病就多了。另外，婦女無論怎麼樣，產前產後是痛苦的，是痛苦之中最強烈的痛苦。一個能布施的人應當找這些對象來施捨，對於有病的人施給他醫藥，照顧老年人讓他安全，飲食臥具，使這些病苦的人能得到安穩能得到快樂，這些苦我們大概都能體會得到。

國王大臣他一念之間具足慈悲，施捨給這些人醫藥、飲食、臥具，使他們安樂，以這一念的慈心都很不思議的，會得到什麼果呢？「一百劫中常為淨居天主，二百劫中常為六欲天王」，淨居天是五淨居天，過去叫五不還天，是三果聖人住的地方。他不能當了淨居天王完了又退回來當六欲天王，應該先當六欲天王而後上生到淨居天王，最後從淨居天王直至成佛。六欲天是享受五欲境界的。

這個裏頭所說的「二百劫常爲六欲天主」，怎麼講呢？我的解釋就是一百次，生一次做了淨居天王了又生一次，生了一次又生一次，生一百次就是說他要享受一百次，一百萬個六千大劫，經過一百次的大劫，這個福享盡了，又到六欲天中再享受六欲天的福，他經過這麼長的時間，他還是要修行，最後直至成佛永不墮惡道，百千生都聞不到苦聲。

以什麼功德得到這樣呢？就是對於老病生產婦女，一念的大慈悲心就能感到這樣的果。以因證果來說，這個因是太便宜了，但是就這麼便宜的事情，我們做過幾回呢？過去沒有做過，因爲現在我們在這裡當人，要是做過的，你現在在淨居天，或也在六欲天，不會在人間了，如果你發菩提心行菩薩道，那是另一回事了。假使以因感果的說，過去沒有做過，現在可以做了。或說我自己的物質基礎沒有那麼雄厚，可以用你的心布施，歡喜心，供養心，看見老人病了，生起一個大慈悲心，你就發願了。見著他，你給他念兩聲佛號都好的，把念佛號念經的功德迴向給他，讓他離苦得樂。

種種的方法，個人的用心不同，經常用這個心，你就是菩提心。菩提心就是覺心，沒有覺悟的心，大慈大悲的心是生不起來。你看著別人苦，苦還沒有到我身上，或是伊拉克在中東準備戰爭還沒有打，你心裏想，他打起來跟我也沒有關係，也影響不到我身上，你若是這個心，那確實影響不到你，跟你毫不相干，但是你若發菩薩心，說在這法界之內，希望他的人民別受到痛苦，我沒有其它的力量，只能念經給他們迴向，希望他們減少痛苦減少災害，水災風災，只要你聞到災害，就發願讓他免除災害。那就不只一百劫常居淨居天了，一千劫一萬劫都可以，若是生起貪瞋癡心，你就下地獄，雖然你也不會想下地獄，但是你做的事就是受惡報的事，不能不受惡報。

平常的心情不會那麼想，也沒有人跟你說要這樣想，現在有機會聞法了，多生累劫善根成熟，知道這種方法，我們爲什麼不用呢？就應當時時如是想。就算自己經濟上有困難也別只想你自己，這個世界上經濟有困難的人太多了，馬上就想到世界上這些人所受的痛苦，因此，雖然經濟上有困難，我還是有飯吃，還沒有睡到大街上。

有人問我寂寞嗎？我說不寂寞，我心裏忙不完。一天想的事很多，別打自己的主意，要打一切衆生的主意，一切衆生包括了螞蟻、乳鴿，反正一切飛禽走獸，全算在內，大大小小的，這才算是一切的衆生。我們僅就人類想，你想一想衆生的痛苦，所得的果報就能永遠不墮惡道，乃至百千生中耳不聞苦聲，以因酬果，這個果是酬答的很多，這個酬答是酬答那一念菩提心，只要一念具大慈悲心，並沒有說要有一定的數量，你必須布施多少的醫藥才算，多少的衣服、飯食、臥具才算，不用計較數量，多少都可以，只要有這一念的大慈悲心，就可以感得無邊的果報。

「復次，地藏！若未來世中有諸國王及婆羅門等，能作如是布施，獲福無量，更能迴向，不問多少，畢竟成佛，何況釋、梵、轉輪之報！」

這段經文完全講迴向，要迴向才能有這個果報，要迴向才能成佛，不論你布施的物質有多少，你的菩提心念念相續，畢竟成佛。因爲你這個種子是成佛的種子，這個因是成佛的因，也就是大慈悲心，不是小慈悲心，小慈悲心就是只看見自己的六親。說實在的，六親也不怎麼可靠，有的姊妹也會互相猜忌，很怕媽媽的錢讓其他人拿去，現在就有這麼一件事。

有位居士向我說：「幾個姊妹想爭她媽媽最後遺留的財產！」我就勸她發大慈悲心，讓她布施，給妳的那份，妳也不要。姐妹尚且如此，何況六親？時時念到別人的困難，這樣的迴向，這樣的發大悲心，一定能成佛。乃至於說是做四天王做大梵天王，那些是世間的果報。我們的目的是要成佛，乃至於出離苦海也好，讓一切衆生出離苦海。如果只管自己卻丟下別人不管，這不是菩薩心，大家如果念《地藏經》，念完了一定給一切衆生迴向，不是只爲自己念的，比你迴向給自己的好處還大，所以說不問多少畢竟成佛。

「是故地藏！普勸衆生，當如是學。」

這是講財布施，總之都是以物質以財來布施的，教育一切衆生應當這樣的學，這樣的布施，這樣的迴向。

「復次，地藏！未來世中若善男子、善女人於佛法中種少善根，毛、髮、沙、塵等許，所受福利不可爲喻。」

前面是說世間相，這裡是在出世間相上講的。前面說的是世財，這是法財，指在佛法中種的福德，是種少得多，一毛一沙這麼一點點的福德，大乘經典，你得聽聞一偈一句，聞到一個佛號，一個大菩薩的名號，你未來所受的福德就不可爲喻。這個福田是出世間的，能夠斷一切苦的，能夠得一切樂的，也就是能得究竟樂，所以說世間跟出世間是迥然不同的，世間是有盡的，緣起是性空的，我們想得的福德是稱性的福德，隨順性的福德是性空的福德，因此說這個福德大，這個福德是比較來的。

往往有這樣的弟子、這樣的道友，若他給我一件東西，他的心裏想，頂好是我用一用，用了他才高興，我要是把它轉到別處，他心裏就不大高興。「我給你的，你竟拿到別處！」其實他不理解，你給我的東西又給你轉出去，這個功德比你給我的功德大千百萬倍。爲什麼我們供養佛的東西佛會再供養給眾生，這是輾轉施。如同輾轉迴向一樣，布施也是輾轉布施，有的人他不懂得這種布施的道理，認為供養師父，供養上師，以為上師用了我的東西才有功德，上師要是拿著給別人了，不論錢，或什麼東西，好像功德小了，這是不對的。愈施功德愈大，這叫輾轉施。

另外是供養三寶，供養時指定這些錢要做什麼，一指定了它只能做這個。他不知道這個因果，在寺院上講打油錢不能打醋，油很多，醋沒得吃，但人家供養錢是供養打油的，這錢只能打油。供養給僧人衣服穿，他的衣服已經夠了，僧人住處的房子都漏了，修補房子要錢，不行，這個錢只能給他做衣服的，房子漏了讓他漏吧！大家不要笑，佛制的戒律就是這樣，不能錯因果的，所以你供養三寶的錢別指定做什麼，供養師父的錢也不指定做什麼，需要做什麼就做什麼，你供養的心是大慈大悲心，捨出去就算了。你捨了還弄個繩子綁著，那這個功德就有局限了。

以下是述說布施的福德，這只是佛法中的福利，若人能夠於未來世中，未來世當然指我們現在這個時候，也就是最後的時候，佛法將滅沒滅盡的時候。在這個時候，有信心的男人或女人，在佛法中種的善根，種了好多呢？一寒毛，一頭髮，寒毛比頭髮還細，或者一沙粒，一微塵，沙粒還是可見相，微塵是不可見相，空中都有微塵，極輕微的，就是在佛法中你種的福很少，所得的利益特別大。因爲在一切福田當中，佛法具足了無量福德，所以說是佛法的福田，因爲佛是在人天之中最上的，你要想求最大的福德就是供佛，這個佛在末法來說只是佛像，因爲佛已經入滅了，佛像就表示佛一樣的。在《四十二章經》中說，在這個三千大千世界所有的一切功德，沒有佛法功德的一小分，你供養三千大千世界的衆生那麼大福德，不如你供養須陀洹初果的聖人；供養滿三千大千世界的須陀洹，不如供養一個二果聖人；供養二果的聖人，供養滿三千大千世界不如供養一個三果聖人；供養三果的聖人滿三千大千世界也不如供養一個四果聖人的福德；供養四果的聖人滿三千大千世界不如供養一個發菩提心的菩薩；如是者往前推，一直推到你供養盡虛空遍法界這些菩薩，不如供養佛，這是校量供養的功德。

在《菩薩本行經》上說，爲什麼布施這麼一點福德，感這麼大的果呢？

他說有幾種原因，因爲你布施的雖少，但布施的是歡喜心，恭敬心，這個事就隨你的心量，變成大的了。如果你布施了而且不求報，像我們求佛總是求點加持，總是希望果報，那麼這個福德就有局限相。不望報乃至於無所求，這個果就大了，施的雖少，果是很大，在佛法中你種了很少的福德，能得到未來的不可思議的效果，這是佛法，佛像呢？下面這段經文就說佛像。

「復次，地藏！未來世中，若有善男子、善女人遇佛形像、菩薩形像、辟支佛形像、轉輪王形像，布施供養得無量福，常在人天受勝妙樂，若能迴向法界，是人福利不可爲喻。」

這也是校量的功德，顯示哪種福德大一點。布施的聖像當然是以佛像爲第一，其次是菩薩像，辟支佛像。轉輪聖王的像在末法是沒有了，轉輪聖王出世都是在正法時，像法也很少了。這個時候的供養，是敬田，得福無量，這個福德就是在人天受快樂，「受聖妙樂」。這裡沒說出世間，因爲你供養形像，總要迴向求一些事情，如果你禮佛，懺罪，爲了求成佛果，那個福德也無可限量，因爲你的心量不局限了。

爲什麼經常說人天福報？因爲人在這個世間上，人是容易得道的，而天上是有智慧的，生天的智慧比人大，享樂也比人不同，在這兩道上容易有閒暇的時間，你要是墮入畜牲道就沒法修行了，沒有閒暇的時間了，很愚癡的，沒有智慧，你想修是不可能的，也聞不到佛法。所以多數都是指人天，這個福德就是得一個人天妙樂的果報，這個福德比前福德就輕。但是也看你怎麼用心；如果供養佛菩薩形像的時候，你迴向佛果，迴向衆生，迴向給法界一切衆生，就是你自己不貪戀供養的功德，自己無所求，願意把這個福德施給一切受苦的衆生，那就不只限于人天了。

〈大智度論〉講，要是人家布施修福的時候，如果只迴向你所做的事業，迴向生活得到一種安慰，這個多數是以佛法的功德生天。你布施供養自己的六親眷屬，像父母，兄弟姊妹，這個福德就小點，要是供養一切不相干的人，就是跟你毫無因緣的人，你迴向給他們，你不貪著這個福，譬如突然看見一個人病苦，你很可憐他，就把福德迴向給他，這可不是金錢，因爲金錢是有相的，那個福德很有限量，你把你的福德迴向給他，這是無限量的，那個人所得到的就不是暫時的解決痛苦，而是將來長時間的解決痛苦。那你能施的人福德也大了。看你怎麼樣用心，你的心量大不局限，你的福德就不局限。

因爲這一品都是校量功德，比較而言的，要是能把我們上面所說的，不求人天福報迴向法界，就是我們在佛法種的善根或者我們供養前面的這些聖像，把這些福利迴向給法界一切衆生，你這個人的福德，未來所得的報酬，拿比喻是不能比喻得到的。因爲這不是財施，而是超越財施，迴向本身就是法。

例如我們念完一部經，如果你懂得迴向的方法，由近及遠，先迴向你自己，你是求智慧求成道，主要是求智慧好，求辯才無礙，你發什麼願你就求什麼，對自己求完了，又把自己誦經的功德迴向自己，再把它輾轉迴向，無非是你周圍的六親眷屬，兄弟姊妹。這個迴向完了，再迴向法界一切衆生，這個功德就叫輾轉迴向的功德。我們不認爲這個錢好像一塊錢，我們要是給一個人沒有了，你給他了，不能再做別的，但是這個迴向功德無窮無盡，沒有物質的限量，迴向完了再迴向，一塊錢變成十塊錢，十塊錢變成一百塊錢，變成千千萬萬的錢來迴向給法界一切衆生，迴向的功德輾轉生息，你自己不要吝惜，這是擴大再生產的意思。

迴向完了又迴向，盡管你最初誦經的功德不太大，經過你累次的迴向，功德大了，這叫迴向功德。所以普賢菩薩的第十大願就是迴向，把前面所有的功德總起迴向，施給法界一切衆生，這個用言語用比方都顯不出來，不可爲喩，這叫迴向方法，如果今天念一部《地藏經》，你當然得到好處，不墮三塗，我願意所有法界衆生都不墮三塗，都消除痛苦，那麼這個迴向心量就大了，你未來所得的福德，不可爲喩的。

「復次，地藏！未來世中，若有善男子、善女人遇大乘經典，或聽聞一偈一句，發殷重心，讚歎、恭敬、布施、供養，是人獲大果報無量無邊，若能迴向法界，其福不可爲喩。」

四句叫一偈，「或聽聞一偈一句發殷重心，讚歎恭敬，布施供養，是人獲大果報」，一偈當中的一句話發殷重心，或者說是發菩提心，這只是說一句話，雖然是一句話，因爲你發的是殷重心，很誠懇的，這個心的功德不可思議。

讚歎恭敬，讚歎佛，讚歎法，這是專指著法說的，什麼法呢？大乘經典，大乘經典包含很多；方等部的都叫大乘經典，《大方廣佛華嚴經》、《妙法蓮華經》，這是最究竟的。你對這些經是至誠的相信，讚歎經的功德，恭恭敬敬的，供養這個法，或者以聽到的大乘法，來供養讚歎佛的功德，說「天上天下無如佛，十方世界亦無比，世間所有我盡見，一切無有如佛者。」這就是讚歎佛的功德。就以這個來供養佛，讚歎的偈誦很多，以這個供養佛的功德果報是無量無邊不能計量的，因爲這是法的功德。

像《金剛經》，我們就知道一個「應無所住而生其心」，「云何應住？云何住心？云何降伏其心？」就這麼一句話的法義能使一切衆生成道。你來估量這個法的意思，用價值觀念來稱量他有好多價值，這是不可思議的價值，因爲不是物質，這個價值觀顯示不出來。說一人成道，這個人成道了又輾轉說法度人，他所度的人又輾轉說法度人，這個功德不可比喻。因此能夠遇到大乘經典，讚揚恭敬乃至於禮拜，這個功德不可思議的。

大乘法教導我們的事很多，我們隨便舉幾個例子，像《涅槃經》上說，離四法得涅槃者無有是處，《涅槃經》上說有四種法不能離，離了要想成佛道，證得不生不滅，是不可能的。哪四種法呢？第一個親近善友，就是你結交一個好朋友，好朋友是善友，是勸你出世，勸你斷絕貪瞋癡的，勸你聽聞大乘法，不是勸你造業的。第二種專心聽法，專心是一心一意的聽法，聽了法還不行，第三種得繫念思惟，心裏頭念念這個法義，就像我剛才說《金剛經》上的「云何應住？云何降伏其心？」這兩句話我們一生都用不完，我們雖然聽了很多，但用得很少，這兩句話你用一輩子也用不完，你又從這兩句話發揮，「不住色生心，不住聲香味觸法生心，應無所住而生其心」，一直到成佛都有餘，我們要這樣的來繫念來思惟。

第四種如法修行，照著佛所教導我們的方法去修行，像《地藏經》上地藏王菩薩告訴我們的方法很簡便，義理不懂，你讀誦讀誦就逐漸明白了。如果不認得字，《地藏經》上，地藏王菩薩反覆的教導我們說，什麼事都做不成，就念我的名字好了，念地藏王菩薩，每天念一千聲，念上三年，基本上你就得到成就了。想要縮短一下時間，一天念一千聲，三年，一年以三百六十天計算，我們就念了三十六萬聲。若是一天念一萬二千聲，大概只是三個鐘頭，你念熟了，兩個半鐘頭也能念了，念上一個月，三十六萬聲滿了。你用一個月的時間把它念成了，有什麼好處呢？你身邊起碼有《地藏經》上所說，發願護持《地藏經》的這些菩薩、這些善神會護持你；從第一位文殊菩薩，第五品的普賢菩薩，乃至於第十二品的觀世音菩薩，第十三品的虛空藏菩薩，這都是大菩薩，還有主命神，乃至閻羅王都是護持這法的，他不是護持你這個人，而是護持佛法。

我們勸人念地藏王菩薩，有什麼功德？那可不是你所能想像的，我們用凡情來測聖境是永遠測不到的，我僅舉這個例子。平常總想標奇立異，有什麼方法捷徑？《金剛經》的那兩句話最捷徑了，我們能做得到？我們的心住在什麼地方呢？能夠不能夠住心呢？我們見一切景象能不能降伏我們的心，不被境轉呢？《楞嚴經》上講，心能轉境，即同如來，你的心有一念能轉境，一念就是佛，念念轉念念就是佛，你轉不了就是衆生，心被境轉就是衆生。不論顯教密教，不論哪個大德，絕對離不開這個，這是根本。

《楞嚴經》上講五十種陰魔，說我們修道人經常著魔障，那位大德其實爲魔所指使，自己還不認識，爲什麼呢？因爲他被境所轉，造謠中傷，我們不要聽他說，任何人都包括在內，就是我們道友互相之間，我們要看他做的，他做的對不對，我們打開經本看看佛所說的話，他跟這個合不合，合了是聖者，不合是衆生，這就是心跟境的關係。

我們說了很多的功德，功德確定是有的，將來你也享受得到的，享受完了又如何呢？你信佛的目的就是想成佛想究竟了生死，這是我們的宗旨。並不是我今天有點危難，佛菩薩加持我，這個危難過去了，第二個危難又來了，不是這樣嗎？生老病死苦，今生佛菩薩加持你舒服了一下子，不是根本解決問題，別人布施你，你是個受施者，別人不能永遠布施，你也不能永遠靠布施生活，不能永久救你。

《地藏經》上所說的功德是初步的，你能遇到大乘經典，大乘經典就能解決我們這些問題，所說的功德大果報大，你要是在現相上看，果報還是不大的，因爲你讀大乘經，閱了幾遍藏經，你不往心裏去觀，心裏不沾邊，那還是世間的福德，不是究竟的。

我說這個有一點深入，我勸大家做，聽到一句做一句，要讓我們全部都做，做不到，揀簡便易行的，今天是地藏王菩薩聖誕日，你念一部《地藏經》，大約是一個多鐘頭，我念得生念不熟，念不熟一個半鐘頭，還是念不熟，兩個鐘頭就了不得了，一天二十四小時，你抽兩個鐘頭不可以？我想還是做得到，這就叫行。爲什麼今天做呢？今天做就比你平常的念一百部功德還大，爲什麼呢？地藏王菩薩成道日，諸天鬼神擁護來做紀念，在這個紀念當中發現你念《地藏經》，大家加持你護持你，你能夠得許多好處。

有的大乘經上說，供養十方三世一切諸佛不如供養一位無心道人，無心就是法界的意思，無心就是不住一切色聲香味觸法生心，這叫無心，涵義就是讓我們悟得自心，不要心外求法，但是沒有大乘經典的教育，我們還不知道這種道理，因此說聞大乘法的功德是無量的。

「復次，地藏！若未來世中，有善男子、善女人遇佛塔寺、大乘經典，新者布施供養、瞻禮讚歎、恭敬合掌，若遇故者或毀壞者，修補營理，或獨發心，或勸多人同共發心。」

這一段經文是說法寶，或者印經或者修理或者恭敬讚歎乃至於合掌，這就是最基本的表現。見了經書了你合個掌，這叫恭敬。要是能夠頂禮、讚歎，就是說個偈子，你把這一切法都當普賢行，「我此普賢殊勝行，無邊勝福皆迴向，普願沈溺諸有情，速往無量光佛剎。」這也是讚歎，讚歎〈普賢行願品〉，也就是讚歎《華嚴經》，哪一部經都可以。但是除了讚歎之外，這部經舊了，你把它粘一粘，補一補，修理一下，不許燒，燒經那就壞人天的眼目，罪惡可大了，毀壞的經典不用了，你把它供起來恭敬擺在僻靜處，總有哪些因緣誰碰到。對已經壞了的佛像或者經書，你修理一下，或者自己發心或者勸多人共同的發心。

「如是等輩三十生中，常為諸小國王，檀越之人，常為輪王，還以善法教化諸小國王。」

「小國王」是不限量的。有些地區很小，他在那一個地區百里為王，像我們中國古老的時候，隔一百里地，他都稱王，這也算小國王，像現在土地很大的國王都算大國王了。

「檀越之人常為輪王」，就是那個發起的或獨發心的人。「檀」是布施，「越」是超越，他的罪惡都超過了，因為供養布施經典或者修補佛像，超越原本的罪惡，得了善果，常為輪王。輪王或者管四天下，或者管一天下，或者管三天下，鐵輪、銅輪、金輪、銀輪四種輪王，那些讚歎他隨喜他，乃至於共同發心的那些人，三十生中為小國王，「檀越之人」就是發起的人，他做輪王，他又以善法教化那些小國王，也就是教化跟他共同的修補經典乃至於修補佛像的人，就得到這些果德。

「復次，地藏！未來世中，若有善男子、善女人於佛法中所種善根，或布施供養、或修補塔寺、或裝理經典，乃至一毛一塵、一沙一渧，如是善事但能迴向法界，是人功德，百千生中受上妙樂，如但迴向自家眷屬，或自身利益，如是之果即三生受樂，捨一得萬報。是故，地藏！布施因緣其事如是。」

這個布施更少了，把前面經文總結一下，供養佛法僧，在未來世就是末法時候，有些信心具足的善男女，在佛法裏種的善根，或者布施經像，或者供養佛經或者供養佛像，或者供養三寶，乃至於修補壞的經書、壞的塔廟，乃至於就是一毛一塵一沙一渧這麼少的功德。

「如是善事」就是所做的這些清淨的好事情，「但能迴向法界」，在佛教中布施就是讓你施捨，特別要發施捨心，除了捨物質之外，要有施捨心，就是不要貪戀，不要慳吝，凡是有好的事情都要推己及人，所以處處講迴向，把以上所做的這些功德迴向法界的衆生；能迴向的人，他的功德是說不盡了，百千生受上妙樂，永遠享受得很好。他受到好事情了，他又修了，他會積累的，他的善根使他自然會積累，爲什麼行善的人愈行善，做惡的人愈往下墜？就是他的惡業惡根促使他那樣做。

〈大乘起信論〉講習種性、性種性，習種性熏習他盡做惡事情，不是善友的聚不到一起，做惡的人他不會走到我們當中來，走到我們這當中來的，他扭頭就走了，連看都不看。儒家也這樣講，物以類聚，族以群分。水族的動物生生世世轉水族，他不會轉到人也不會轉成陸上動物，水族的動物也不會跟陸地上的動物合群的，兩者性不相同故，因爲習染，就是因爲多生累劫所習染的。像我們這一種，所聚合的都是善友，所以就生生世世的互相勸善。假使怕我迴向了他們，我自己沒有了，就像施捨財似的，我捨給他，我就沒有了，這就是不曉得你失去的是現在眼前的小利，所得到的是未來的大利。好多人他的慳吝心永遠是具足的，他跟我什麼關係？我給他迴向做什麼？這種只迴向自身的利益，所得的果報是有局限的，三生受樂，一輩子、兩輩子、三輩子就完了。

讀誦大乘經典、持念聖號也好，念佛菩薩名號、聞大乘經典，現在聽完經了，不曉得大家有沒有迴向？我看大家一站起來，趕忙的就拿凳子，心裏有沒有做迴向？起碼你得迴向這麼四句話。我講完經，我是迴向「聞法功德殊勝行」，這種行門是最殊勝的，這種修行你做對了。「無邊勝福皆迴向」，聞法的功德是不可思議的，是無邊的；普皆迴向，「普願沈溺諸眾生，速往無量光佛剎」，迴向一切受苦難沈淪苦海的眾生，讓他很快的就到極樂世界了。

在聽完經剛要起來的時候，心裏要這麼想這四句偈。在佛門中修福太容易了，舉心動念都有不可思議的福德，就是沒有做，不信，我們大家不打妄語的話，我登記一下，有幾個人這樣迴向？通常都是站起來就走了，那樣的話，你聞一座經就是一座經，功德不增長的。如果你這麼一迴向，這個功德就增長了，增長了很多很多說不出來，無法估計的功德。這就看你的用心如何，要修行還怎麼樣修行呢？這就是不可思議的修行，這種修行要到你成佛才曉得，不成佛以前你還不知道。

「是故，地藏！布施因緣，其事如是。」這是地藏王菩薩請求佛給他說，這個閻浮提世界上的布施，考核一下子他們的功德大小，爲什麼有的一生受福，有的十生百生受福，有的千生萬生無量億生一直在受福，是什麼原因？就是這個原因。

這一品完全講布施的，完全是講有相的。事都是有限量的，我們要把有限量的事，擴大到無限量的理，用我們的心把它擴大到無窮無盡的理上，那就可以說我們從現在一個凡夫的衆生，以這種的心量變成了菩薩，而且是大菩薩，你就變成了處處是普賢行了，處處都是觀自在了。

如果你局限了，隨著這個音聲局限於這個事物，這樣的功德很小，爲什麼有一生百生千生不同的差別呢？就是這個原因。他不知道方法，要是知道這個方法，就要去做了，爲什麼不做？沒有智慧，我們做一切事都是以智慧爲根本的，你想入道，想成佛，或者想明白事理，你得學，不學不會知道的。

《華嚴經》上講，「譬如暗室寶，無燈不能照，佛法無人說，雖慧莫能了。」佛法要是沒有人說，你不能理解，就像一間黑暗的屋子，我們知道屋子裏有顆寶珠，沒有光明沒有燈光，你進去拿那顆寶珠，你是拿不到的，就是這個涵義。說了之後，你明白了，要用智慧去思惟，想一想那個道理，愈想愈明白，愈明白你愈想，智慧是輾轉增長的，就像迴向又迴向，迴向又迴向，這個涵義是一樣的。智慧愈增長你愈明瞭，你自已可以看很多的大乘經典，雖然這部經你沒有開悟，說不定讀誦哪一部經你就開悟了。

爲什麼要閱藏呢？因爲藏經的種類太多了，你不曉得哪個因緣跟你恰恰相合，合了，你一看開悟了。過去出家人，天南地北到處跑跑，爲什麼呢？聽到那個地方有位大德，那個山裏頭有修行人，他就到那地方去求法了，不一定在一言一句中，言下大悟，所以他會到處行腳。

佛在世時，那些比丘，到處乞食，到處化度衆生，到處親近他的依止師，到處去找大德，也如是。我們中國叫參學，參什麼呢？參訪善知識，學什麼呢？學智慧，一個人有一個法門，修行都不同。相應了，就照這個修下去了，多聞法多參學，善知識就是這樣子，所以善財童子五十三參即身成佛，他就是聞一位，證一位，聞一位，證一位，聞法功德不可思議。

地神護法品　第十一

第十一品是〈地神護法品〉，在地藏王菩薩請佛說校量因果、校量功德之後，與會者有位主地神，主地神的名號就叫堅牢。所謂的堅牢地神是指大地能夠承載一切，就算是我們這個小小的地球，也承載好多東西，而且是堅固的。這個地是什麼地呢？以法說是心地。沒有事物可以破壞心地，所以說是堅牢不可壞。同時從世相上說，這個大地又能承載眾生，又能撫育眾生，又能滿足眾生的生活需求。什麼東西不是從大地生長的？我們吃的糧食、疏菜、水果，不都是地上生出來的？如果大地不生長這些東西，我們也活不了了。現在則從地下掏出很多東西，想走路快一點，坐汽車，坐飛機，現在靠汽油，汽油是從哪來的？還是在大地裏掏出來的。大地的功德，這個資源的豐富是不可思議的，這是就事上說的。

要是從理上說，地者心地，前面講了很多了。

「爾時，堅牢地神白佛言：世尊！我從昔來瞻視頂禮無量菩薩摩訶薩，皆是大不可思議神通智慧，廣度眾生，是地藏菩薩摩訶薩於諸菩薩，誓願深重。世尊！是地藏菩薩於閻浮提有大因緣，如文殊、普賢、觀音、彌勒，亦化百千身形度於六道，其願尚有畢竟，是地藏菩薩教化六道一切眾生，所發誓願劫數，如千百億恒河沙。」

堅牢地神向佛表白說：「如何維護眾生，如何撫育這個世界眾生？」他問：「世尊，我從昔來，就是從往昔過去到現在，我親近過很多大德，親近過很多諸佛菩薩，瞻視頂禮無量菩薩摩訶薩，這些大菩薩都是不可思議的，不論神通、智慧、利益眾生的事業都是不可思議的。」他先總體的讚揚一下子，用讚揚一切的菩薩，來彰顯地藏王菩薩的功德。

用那些大菩薩來彰顯地藏王菩薩，特別是讚歎地藏王菩薩。《十輪經》裏講，地藏王菩薩在每一天的早晨想要成就一切眾生，讓眾生成道，就入殑伽沙數定，殑伽沙，就是恆河沙。印度的恆河，恆河有好多沙子，不可思議，沒法計算，入這麼多的定，爲什麼要入定呢？用定觀察衆生。阿羅漢、菩薩要想了解你一切情況，得先入定了，思惟觀察，以後才能跟你說。因爲要利益一切的有情，地藏菩薩於日日清晨，先入這樣的定。衆生是無窮無盡的，十方世界也有無窮無盡的衆生，他就要入無窮無盡定去觀察，要知道每一個衆生的因緣，對他才能施教。「從定起已」，就是從定出來，「彼於十方諸佛國度」，那就超過我們這個世界了。凡是十方諸佛國度都有地藏王菩薩在那裡教化衆生，「成熟一切所化有情」，隨他應得的，施以利益安樂，《十輪經》讚歎地藏王菩薩是這樣讚歎的。

像《地藏經》的第一品，在忉利天集會的時候，來的那些菩薩諸佛，乃至於那些鬼王，所有到這個法會的諸佛菩薩都是地藏王菩薩所教化的，教化他們成佛了，成了大菩薩。釋迦牟尼佛就要文殊師利菩薩說，你觀察一下，今天到忉利天這個法會，究竟有好多諸佛菩薩？好多諸鬼神？文殊師利菩薩說：「以我的智慧千劫測度不能得知，我測度一千劫都不知道今天到法會的諸佛菩薩諸鬼神究竟有多少。」我們就知道地藏王菩薩教化有好多，時間有好多，處所有好多；成就了這麼多的佛菩薩乃至於國王，還有已度、未度，已度的都成佛了。未度的正在度，還沒有成佛；當度的，地藏王菩薩發願要去度的，我們都在當度之內。沒有菩薩加持力，沒有我們自己的善根力，這個緣是生不起來的，不可能知道地藏王菩薩名號，不可能知道《地藏三經》。

學了《占察善惡業報經》，大家可能會知道，地藏王菩薩發心以來，發菩提心到現在已經無量無邊，好多個無央數的阿僧祇劫；無量無邊不可思議，有那麼多的阿僧祇劫，他早已成佛，久已能度薩婆若海，久已達到一切種智功德圓滿了，但是他依他的本願自在力故，示現的還是菩薩。地藏王菩薩現比丘相，他與觀世音菩薩一樣，應以何身得度者，就示現何身，不過他在此示現的完全是比丘相，所以說他跟一切諸菩薩比較起來他的誓願是深重的。

以下堅牢地神又舉例子說，我們大家都熟悉的，如文殊、普賢、觀音、彌勒四大菩薩，這些大菩薩也是化百千身形在六道度衆生，都不是一生，也不是一劫，而是無量億劫。就是普賢、觀音、彌勒，這些大菩薩他們的願力還有盡的時候，「其願尚有畢竟」，他們發的願還是有圓滿的時候。但是大家得用這樣的智慧來照，不要去分別。因爲現在是地藏法會，在那個法會以那個人爲主，就推崇備至，互相讚歎，使衆生對地薩王菩薩特別生起信心，生起殊勝感。但是如果在文殊法會、在普賢法會，你要是看《華嚴經》，看普賢菩薩，那個又不可思議了。所以大家一定要懂，這裡沒有優劣高下，但是諸佛菩薩的願，個個願力不同，地藏王菩薩超過釋迦牟尼佛了嗎？不要這樣來比較，只是個人發的願不同。

觀音菩薩是過去正法名如來，普賢菩薩十方諸佛都得入普賢行，一切諸佛成佛都得先入普賢行而後才能成佛，文殊菩薩又叫一切智母，出生一切諸佛。現在因爲推崇地藏菩薩，所以有些人往往說普賢、觀音、文殊、彌勒都不如地藏王菩薩，菩薩並沒有關係，而是我們自己生了分別想。因爲這位堅牢地神推崇地藏王菩薩，所以說文殊、普賢、觀音、彌勒，他們的願還有畢竟的時候，但是地獄永遠空不完，地藏王菩薩的願永遠無盡的，所以說「是地藏菩薩教化六道一切衆生，所發誓願劫數，如千百億恆河沙。」這是舉其大數，千百億恆河沙的數字很難知道。

「世尊！我觀未來及現在眾生，於所住處，於南方清潔之地，以土、石、竹、木、作其龕室，是中能塑畫，乃至金銀銅鐵作地藏形像，燒香供養，瞻禮讚歎。」

這段經文是說塑像供養，畫的、印的紙像，銅做的，鐵打的，木雕的，泥塑的，不論什麼材料都可以。爲什麼說南方清潔之地呢？南方清潔之地是兩個鐵圍山之間，我們是得不到這種清潔之地，那是閻羅王住的宮殿處，那個地方是地藏王菩薩在南方化導眾生。不要起分別心，前面說是娑婆世界東方有大鐵圍山，那是地獄。這段經文說在此南方，鐵圍山是閻羅王住的宮殿，我把這個解釋爲到處都有地獄，就像監獄似的，到處都有，唯心所現，你的業在哪現，哪兒就是地獄，有什麼南有什麼北？說極樂世界在我們的西方，《大彌陀經》上，極樂世界的西方，還有極樂世界，西方還有極樂世界，都是過十萬億佛土。我們所說的極樂世界就成東方，就不是西方了，不是這樣說嗎？我們說是東方藥師琉璃光如來世界，我們娑婆世界就變成西方了，方無定體，這不是決定的，要懂得這個意思。

南方就是形容的意思，不論你用土、用石頭、用竹子、用木頭都可以，不論質量是什麼東西都可以，做個佛龕，供上地藏像，供一張紙像也一樣的。當然是金銀銅鐵，質量尊貴一點，你心裏更誠一點。如果是紙像，一印很多，假使想尊貴一點花錢多一點，打個金像還會引起盜心。我說做個泥巴像還是好的，不要起分別心。最重要的是你心裏起恭敬心，燒香供養，或者頂禮。瞻視頂禮，瞻本來是看、觀的意思。瞻望的意思，望著像磕頭，磕下去，心裏頭想，地藏王菩薩就在頭頂上加持你，一邊禮，一邊觀想，讚歎地藏王菩薩的功德。像能生心，就是因爲這個境，把我們這個心生起來了，而我們這個心不被這個像的境轉，要禮地藏的法身，大家多做如是觀。

現在這一品是地神護法，護什麼法呢？護你聞到地藏王菩薩的名號，或者見到地藏菩薩的像，聞名見像所得的功德，因爲你聞名見像之後，地神可以護法，使你免除一切災難，免除哪個災難呢？經文中就告訴我們了，你或者請了地藏像，或者聽到地藏王菩薩的名號，你所住的地方就有十種好處，有十種利益。

「是人居處即得十種利益。何等爲十？一者、土地豐壤，二者、家宅永安，三者、先亡生天，四者、現存益壽，五者、所求遂意，六者、無水火災，七者、虛耗辟除，八者、杜絕惡夢，九者、出入神護，十者、多遇聖因。世尊！未來世中及現在眾生，若能於所住處方面，作如是供養，得如是利益。」

這是說你闢一間靜室供養地藏菩薩像，前面說，金銀銅鐵木雕泥塑乃至於畫像都是一樣的，而且要能夠燒香供養，瞻禮讚歎。你如是做了就能得到上面所念的十種利益，因爲《地藏經》是就世間法講的，不講理法界，多數講事法界。事法界就是你所做的事情符合了這部經上所要求的，就能夠產生這些效果。前面聽到地藏王菩薩的威神願力不可思議，你信了，你對《地藏經》、地藏王菩薩所說的，教你應行應做的，你都理解了，以後就會得到這些好處。

「土地豐壤」是指你所居住的國度說的，就是五穀豐收，總體上有糧食吃，沒有疾疫流行，沒有害蝗蟲，沒有惡性的傳染病菌，這些都沒有了。「家宅永安」，土地上沒有風災，沒有水火災，沒有盜賊，所住的地點，你家庭都吉祥了，也就是平安的意思，這是現世的。

「先亡生天」，過去的父母或六親眷屬，以前過世的人，因為你供養地藏王菩薩，燒香禮拜地藏王菩薩，這些六親眷屬都能生天，不會再墮三惡道，當然還要有你的迴向，你要作揖，作揖就是迴向，死者是已經過去的人，能夠得到生天的快樂。

「現存益壽」，增益你的壽命，我們有很多佛教弟子，不怎樣希求長壽，他所希求的就是生極樂世界，但是也有的弟子怕死。生活的環境很好，經濟也很充裕，生活很安適很舒服，這樣子他就願意多活著；如果是病苦乃至於經濟情況不好，打工又很緊張的，掙不到好多錢，各種壓力，他就是悲觀失望，也就沒有畏懼死的心理。我說：「你信佛不？」他說：「似信不信！」

如果說不信，他也信佛好多年了，浮泛的。我就勸他念念《地藏經》，就可以使你增加壽命。

第五種利益是「所求遂意」，你所要求的能夠滿足，我們要求的很多，有時候不完全滿足，有相似滿足，有半分的滿足不是全分的。

第六種「無水火災」，自從你供了地藏王菩薩以後，三災能夠免除，水災、火災、風災，這上面沒有說風災，其實也包括風災在內，就像颱風。我們在福建跟廣東以及台灣，經常鬧風災，在颱風襲擊當中，一個村子或一條街道，有的房屋被吹垮，有的人也受傷，但是同一條街道，有的家庭很平安，他沒有什麼感覺，在共業當中還是有別業，那就顯示菩薩的加持力了。

「虛耗辟除」就是那些無妄之災，就像你走在路上，那個樓房掉下來，把你打到了，這種事在大陸經常發生，我在報上看到香港也出過這麼幾件事。他在路上走，樓上不注意掉下東西來，正打到他腦殼上，打傷了，這在美國還可以打官司要他賠錢，但是在大陸上沒有人會賠你，打傷了活該你倒霉，你告誰？在美國，這房子要整修，或者他摔一跤，他就跟你打官司，讓你賠，這種就叫無妄之災，屬於虛耗的事情。這類事情都找不上你。

「杜絕惡夢」，在同一個情況之下，因爲供養地藏菩薩的關係，這些或者不大明顯，特別顯著是做夢，你如果供養過地藏王菩薩乃至念了《地藏經》的時候，那個惡夢不再做了。爲什麼不做惡夢了呢？是地藏王菩薩加持，所以一般人對做夢的感覺很大，做夢夢見鬼神或者夢見走夜路，或夢見了往生的時候，有些害怕境界，這個情況都很多的，但念了《地藏經》，供養《地藏經》，這種恐怖心就沒有了。我們內心雖然感覺遂意，但是外頭的憂患，無妄之災很難免的。

「出入神護」，我們生在末法的時候，有這種殊勝因緣，能夠遇到大乘的佛法，能遇到《地藏經》，遇到了之後你要是能讚歎禮敬供養，以這個功德，你的行住坐臥有護法神保護你，別的護法神我們不管他，起碼這個地神，他是發這個願的，他一定保護你的。

「多遇聖因」，第十一品講地神，他能保護你，讓你多遇到聖因；或者聞法或遇到善知識，出世的因都叫聖因，了生死、成道的因都叫聖因。遇到這種因，還是因爲你自己種的種子，這個因就是指因緣說的，除了你自己有心，還有外面的助緣，這是堅牢地神說的。他說假使在未來或現在這些衆生能夠在他住居的地點，或者做這麼一個小龕室，這個龕可大可小，如果我們家裏不方便，像打個木頭，這麼一個龕龕就一個盒，找龕的那個盒，這要不了幾個錢，供上這個龕，就等於地藏王菩薩的法室，或者那個佛龕就等於一個屋子當中又有一個屋子，如果你做好一點，前面這個龕室還有個蓋，如果你感覺要做什麼事情，有客人來了不方便，你把蓋蓋上，如果沒有蓋，弄個布或紙把它蓋上，保持清潔的，如果能這樣做再能塑一張紙像，或請一尊木雕的或泥塑的，這樣感到的果就有十種好處。

「世尊，未來世中及現在衆生，若能於所住處方向作如是供養，得如是利益。」這就是供養地藏王菩薩，瞻禮地藏王菩薩，稱地藏王菩薩的名號，你就能得到上面這十種好處。雖然說是十種，其實包括很多，爲什麼能有這種果報呢？一者是地藏王菩薩的願力，他的大悲心很切。二者你也有這種殊勝因，你沒有這種因也遇不到了，也不見得能堅信能夠照著去做。

有的說這十種利益那麼好，能做得到嗎？能不能夠加持我？能不能兌現？我說不要去求菩薩兌現不兌現，而是要求自己能不能堅定信心如是做。就說供養地藏王菩薩，地藏王菩薩的像在這裡，我們心裏是不是把這尊像當成地藏王菩薩在這裡坐著呢？如果眞的是地藏王菩薩在這裡坐著，你如何對待？如果這是一尊像，你如何對待？不論哪個師父有多大的道德，就是釋迦牟尼佛在世，他只能告訴你一個方法去做，就是要你去做，如果你不做，沒有辦法，正法如是，像法如是，末法更如是。但是在末法，有一個特殊的原因，還有菩薩加持力，我們今生不能做到純粹的六根清淨，佛怎麼說我就怎麼做，經上怎麼說，我就馬上能夠做到，一點不打扣，百分之百的正確，既然做不到，我們就種善根，今生沒有完全做到，來生或者一百生，一千生一萬生，這個種子種下去了，我們到一定時候是會做到的。

現在大家都信佛，我對於聞法的弟子們、聽經的弟子們，乃至於皈依的弟子們，並不是我心裏要分成不同的等級，而是你們所表現的，你們的信心就有種種的不同。你們拿那部經就是鏡子，因爲你自己看不見自己，照照鏡子就看見了，臉上有沒有髒，你自己就知道了。我們自己不曉得做的對不對，打開經本一對照，自己很清楚，這不是密，這是顯。《地藏經》所說的話，你做到了嗎？一切處都講至心，《地藏經》也如是，念阿彌陀佛也講至心，一定要念到一心不亂，你能夠至心多少時間？你只能種種子，不能要求今生要成就什麼。但是前面說這十種利益你會得到的，即使得到了，你也不信，說這是我的運氣好，不一定是菩薩加被我的，我本來就不該出事，你會想，別人都沒有出事，怎麼就我該出事？但是也有沒有出事的，遇到危難，天災人禍，這種事很多。

因此，學法的時候應當經常的對照，像《地藏經》上說，要我們每天念一萬聲地藏王菩薩聖號，念熟一點，兩個多一點鐘頭就可以。我曾經試驗過，或者念快一點，念慢一點相差時間不大，念快了，念得很熟悉了，「南無地藏王菩薩」、「南無地藏王菩薩」，心裏這樣念，像這樣一天念一萬聲，需要好多時間呢？如果你能夠念到十天、七天，七萬聲你的心裏就會特別感覺不同；心裏的煩惱自然少，心裏非常愉快，如果你能夠念到七七四十九天，再加上讀誦《地藏經》，而讀通的時候也是很至心的，妄想很少的，也不用再去問什麼師父，你自己就會感覺到。至於經上說的，地藏王菩薩在夢中加持你，你要是念到那個時候，你的功力有了，菩薩來不來都如是，因為你自己心裏漸漸的明瞭了。

我說這個大家可能不相信，但是你一定要做一做，做一做，你就會信了。我說這話不假，因為我做過了，得到了，我才跟你們這樣說，我沒有做過，我不會瞎說的。我最近就天天在念，天天在做，念一萬聲地藏王菩薩才三個鐘頭，念一部《地藏經》才一個鐘頭，總共才四個鐘頭，你有好多時間，我們這一天還做些空事，還打些妄想，妄想是控制不了的，一會兒想這，一會兒想那，這是不至心，這樣都有很大的收穫，我想大家如果這麼做一做，一定會有很大的收穫。

雖然你們把《地藏經》聽完了，聽完了是聽完了，好處不大，好像也沒有得到什麼特殊的感應，跟平常一樣的，因此人家要實際去做一做，看是不是的確不一樣。

我們學一個法，不論跟哪位上師、哪位老師學都一樣的，學完了要做，儘管你用很少時間做一下，都要證實一下，究竟是眞的是假的，不然我們信佛信了很久，好像佛教說的盡是瞎話，說的玄乎其玄，一點實際好處都沒有得到。如果你眞的做了，就知道它的好處大了，如果只是馬馬虎虎，等到用的時候你可就痛苦了，因爲你學是學了，可惜沒有學會，到了用的時候卻用不上。就像化學、學電腦一樣，你在學校不用功，等你到了社會上，需要使用高級的知識來應付，你應付不了，兩個就不相合。

佛教說的道理本來很深的，你的體會卻是很淺的，拿不出來，什麼原因呢？因爲你沒有用，這是很要緊的。因爲現在講到地神，你要是能夠這樣準備龕室，供養地藏王菩薩，燒香供養讚歎禮拜，你會得到這十種利益。

但是這十種利益，有些你能明顯感覺到，有些不見得明顯感覺到，本來你該出事的，但是化解於無形了。你別胡思亂想，自然得到好處。佛法告訴你一個基本的原則，你不能起惡念，要是起惡念，還要讓菩薩滿你的願，那是南轅北轍的。所求遂意，要這樣解釋，不是想作什麼都遂意，害人的不會遂意，在你住的地方能如是供養地藏菩薩，這十種利益你都能得到，以下就說經典了。

「復白佛言：世尊！未來世中，若有善男子、善女人，於所住處，有此經典及菩薩像，是人更能轉讀經典供養菩薩，我常日夜以本神力衛護是人，乃至水火、盜賊、大橫、小橫，一切惡事悉皆銷滅。」

這個又更進一步，不但供像而且還能讀經，讀經是指《地藏經》。「復白」就是堅牢地神又對世尊說，他說我要護持法，護持地藏王菩薩。未來世若有有信心的男子、女人在他住的地方，有《地藏本願經》，「有此經典」，這裡是專指《地藏經》說的，「及菩薩像」，不但有經有像，而且還能讀經典。讀一遍叫轉，「轉經」是什麼呢？就是把經轉一遍。

像我在西藏，他們讀經像翻頁的，我說：「你翻這麼快，你看的完嗎？」他說：「我用不著看！」我說：「你不看，你翻什麼？」他說：「我們這是轉經。」還有我們大家看西藏人，不論大人小孩，不論作什麼都一隻手做事，一隻手在搖經輪，那叫轉經庫。轉這個經輪，口裏沒念，心裏也沒在想，就是手拿著轉。還有到了西藏，你會看到摩尼堆，石版上刻著六字大明咒，堆成一堆這麼的一個石板站，滿的像山似的。你只要拿石版給石匠，給他一些錢，請他刻石塊，他就給刻上。周圍轉這麼一圈叫轉，轉這麼一圈這裏頭有好多的摩尼咒語，「唵嘛咪叭呢吽」，你轉一圈就等於念了一遍。要是我不認字，不認字就把他翻一遍，來生的種子就種下了。就像老鼠跑到藏經樓，他認得字嗎？但是很奇怪，老鼠在藏經樓裏不啃藏經，牠不會把藏經啃得破破爛爛的。但是藏經有蛀虫，那蛀虫會把藏經蛀得很爛的，爲什麼大藏經每年到了六月要晾一遍呢？防蛀虫的意思，你拿著把經晾一遍也叫轉經。轉跟讀是兩回事，你也不了解經的義理，也不認得字，就這麼翻一翻，這還是有意義的。

「轉讀經典」，就是把經讀一遍，翻一遍念一遍。但是當你念經的時候，一定要燒支香或者是供朵鮮花或供點水果，這叫供養。因爲你一念經一供養，堅牢地神就來護法你。堅牢地神說的：「我以我的神通力量，我一定護持他，我維護這個人，使這個人不論在大小災當中，他都不受苦難的。」

「大橫小橫」就多了，橫者就是不順的意思，他不依著發展規律發展的，像我們人的壽命不依著規律發展，還不到壽命盡的時候就死了。本來他不該死的，他遇到的時間不對。像那個車禍早五分鐘過去了，晚五分鐘還沒有到，恰恰就在那一兩秒鐘他撞上了，生命斷了，這也是一種橫死。例如在紐約大街上走路，發生了槍戰，也不是打他，他反而中了流彈，這也叫橫死。

在《藥師經》中講有九種橫死，大橫有九種，小橫也有九種。吃這口飯沒有吃下去，哽到喉嚨裏噎死了，魚刺卡到喉嚨，或我們北方的硬餅，卡到喉嚨上，上不去下不來，他就噎死了，這都叫橫死，這是小橫死。在《藥師經》，阿難尊者問救脫菩薩，他說《藥師經》講續命，一個人的命可以延續，壽命盡了，怎麼還可以續呢？在阿難尊者的意思，壽命本來是有限的，救脫菩薩卻說可以續？佛說有九種橫死，所以在《藥師經》，他勸你造續命神幡，續神幡是可以延續生命的。要死的時候念《藥師經》，續命神幡還可以延續他一季，一季是十二年，還可以延長他的壽命。哪九種橫死呢？有的病人他本來不該死的，他的病也不太嚴重，但是他找一個醫生就嚴重了。在大陸上，有時挖苦醫生就這麼說，沒有病，你找了醫生就有病了，不該死的，你遇到醫生就該死了，庸醫殺人。你有了病了，又缺醫少藥的，有些草藥，據說偏方治大便不錯的，但要對他的病眞正明瞭，確實有把握，這個偏方能治，如果拿這個方子去治一切病不行。張三發燒了，你給他吃這個藥，他好了，李四也發燒了，你這個藥又給李四吃下去，就死了。他的病本來不該死，因爲藥下錯了死了，這叫橫死。

還有一種信鬼神的，信邪魔外道的，跳大神治病，在缺醫少藥的地方，我見到很多。他給你說罪說福的，你就信他了，來祭拜鬼神殺豬宰羊的，這叫妄求鬼神，求魑魅魍魎四小鬼。這四種小鬼專門害人的，你求到他可好了，本來你想延壽的想治病的，一請到他，你就該死了，這也是橫死。

另一種是信邪的，信顚倒妄想見的。《地藏經》前文說的，生小孩做滿月，本來是好事情，應當酬勞護法神的功德，你反而殺豬殺羊請客，這叫顚倒見；本來想要母子平安求長壽的，這麼一來反而短壽，子母俱損，所以令他橫死。橫死的人就下地獄，總說起來這麼多，這叫初橫，橫死的一種。

還有遭冤枉的，王法疏漏，這個國家的法律不好，很多受到冤枉的人，就容易喪失生命，這是第二種。還有打獵的釣魚的，釣魚釣到海裏去了，打獵被虎狼吃了，這都屬於橫死。還有喝酒的喝酒醉死了，荒淫無恥的放逸無度，就被邪魔外道魑魅魍魎奪了他的精氣，這是第三種橫死。我們並不知道是不是鬼神奪他的精氣，反正他沒有氣了，荒淫無度就虛脫死了，這些畋獵嬉戲耽淫好酒，第四種橫死。

發大水的，一次淹死好多人，難道那些人都該命盡了嗎？還有火災都是一批一批死亡，水火災死的人都不是該命盡的，這叫水災火災的橫死。第六種毒虫猛獸，被蠍子螫了中毒的，還有毒蟲爬到飲食上，你不知道誤食了，這都叫橫死的。第七種像山垮了，在大陸上有很多這種情形，像他們進入西藏的部隊，修築康藏公路，經常在山坡上，突然間山崩下來了，一下子活埋了，還有掉下山崖的，失腳走山路滑下去的，這也都是橫死。還有中毒藥的，人家用惡咒來魘你的，或者知道你的生辰八字，弄個毒咒或紋個紙人把你的名字寫上，這也是屬於一種橫死。其實意外死亡的多，像汽車失事、飛機失事，佛經都沒有說，這也是屬於橫死的，像你走到街上碰到飛彈掉下來，這也算是橫死的，總說有這幾種橫死。

「大橫小橫一切惡事悉銷滅」，因爲有此經典供養菩薩像，更能轉讀經典，把這兩種的橫事銷滅了。還有一切惡事，惡事就是不如意的事情悉皆銷滅，這個銷滅是假地藏王菩薩的慈力銷滅，這就叫菩薩加持你。但是地藏王菩薩能夠加持你，是因爲你念《地藏經》，供養《地藏經》，供養他的像，我們現在還沒有成佛，在往成佛的道路上走，走到什麼時候呢？那就看你走的快走的慢，走的快時間短一點，走的慢時間長一點，成佛是一定的。

在第九品地藏王菩薩爲了要利益末法衆生，說了那些佛的名號，那就是決定成佛了，聞了《地藏經》，成佛的因已經種下了，再假地藏王菩薩的加持力，那就快一點。堅牢地神在這個法會上聽了《地藏經》，聽了佛讚歎地藏王菩薩的功德，他就發心了，他說：「我要護法，我要護地藏王菩薩的法，誰要聞到地藏王菩薩的德號，他又能誦地藏王菩薩的聖號，又能夠轉讀《地藏經》，那我就護持他。」他能得到什麼好處呢？就是橫死、惡緣，一切不如意的事情，使他一切都免了，他向佛表白之後，佛就讚歎他。

「佛告堅牢地神：汝大神力，諸神少及，何以故？閻浮土地悉蒙汝護，乃至草木、沙石、稻麻、竹葦、穀米、寶貝從地而有，皆因汝力，又常稱揚地藏菩薩利益之事，汝之功德及以神通，百千倍於常分地神。若未來世中有善男子、善女人供養菩薩及轉讀是經，但依地藏本願經一事修行者，汝以本神力而擁護之，勿令一切災害及不如意事輒聞於耳，何況令受！非但汝獨護是人故，亦有釋梵眷屬、諸天眷屬擁護是人。何故得如是聖賢擁護，皆由瞻禮地藏形像，及轉讀是本願經故，自然畢竟出離苦海，證涅槃樂，以是之故得大擁護。」

「汝大神力諸神少及」，佛表白堅牢地神的功德，說你的神通智慧是其他的神所趕不上的，爲什麼呢？他是主宰大地的，這個土地上如果不生長糧食，這個世界上的人就沒得吃的。我們現在創造發明汽車，有汽車沒有汽油，你就發動不起來，汽油從哪裡來的？地裏變化出來的，一切事物如果離開地的負載，什麼都完蛋了，什麼都不能成就，所以他能夠生萬物。這是什麼意思呢？天地陰陽的氣候，我們都認爲這是自然的，但是自然還有個主宰，誰主宰他呢？是我們自己的心，惡念太多了，天也會變化的，土地也會變化的。

我們有時候得想想這種原理，任何人都能懂的，它負荷不了，到時候就不行了，就算它的神力再大也抵不住衆生的業力大。我們衆生造業猛力的很。佛讚歎堅牢地神，能生萬物、能主宰人間、能堪忍，他發願來護持，佛讚歎他說，其他的神趕不上你的神力，「何以故」什麼原因呢？因爲這個世界的土地都「悉蒙汝護」，都靠著你來護持，乃至於一草一木一沙一石，乃至於稻麻竹葦穀米寶貝都是從地下而有的，「皆因汝力」，就是靠著你來護持，在這種神力之下，又能夠稱揚讚歎地藏利益來護持《地藏經》，那說明了你的神力你的功德更大了，所以其他的神比不上你的力量大，這是佛稱讚他的功德。

「若未來世有善男子、善女人供養菩薩及轉讀是經，但依地藏本願經一事修行者。」這句經文說的很局限，怎麼局限呢？因為堅牢地神只是護持誦《地藏經》的供養地藏像的，他的願力不是普遍的，他不是說佛所有一切法我都護，我沒有這麼大神力。他的神通力可能還達不到，所以佛給他說的也是滿足他的願。假使在未來世，也就是末法的時候，若有好心的男子女人信心具足的供養地藏菩薩、轉讀《地藏經》，因為他發願只修地藏法門一事，修行者專依《地藏經》修行的，你就護持。

我們可不要起分別心，說這個地神專護《地藏經》，我念〈普門品〉、讀《法華經》，這個地神就不護持，其他的護持神可多了，你受一條戒，就有五位善神護持你，你要是受五個戒，就有二十五個護法神護持你。你念〈普門品〉、誦《法華經》，那不是護法神護法，而是菩薩護持；好比讀《華嚴經》、讀《法華經》、讀《般若經》、讀大乘經典，不是護法神，而是菩薩護法。這裡僅僅說《地藏經》的護法神護持，但這個護法神也是菩薩示現的。他是說，依《地藏經》一事修行的，以你的神通跟你的願心誓願，而擁護之；要好好護持它，護持供養地藏像讀《地藏經》的這個善男子、善女人，由於你的護持使這個讀經的、稱誦名號的善男子、善女人不讓他有一點的災害；如果他有了災害，就是你沒有護持到，跟你本來的願力相違背。不但災害的事情、如意的事，連聽都不讓他聽到，更不用說身受了。

有很多的人對於很多災害沒有聽到過，爲什麼呢？因爲他沒有那個業。我經常這樣講，現在這個世界上有一大堆犯罪的人住在監獄，但是對於監獄的事我們聽都沒有聽說過，因爲你沒有這個業，更不用說身受了。還有些害人的各種的毒，我看最害人的毒還是人的口，人的嘴能把人說死，口業特別重要，大家要特別注意，無意之間說了話把人傷害到了，這類事很多，口業很重。護法神他會護持一切不如意的事情，災害的事情我聽都不要聽，何況他本身去受呢？

在三藩市有這麼一個人問我，他說：「法師你說念了《地藏經》，一切災害都沒有了，我經常生病，害病是不是災害？」我說：「是的，害病還不是災害嗎？」他說：「我念了《地藏經》，堅牢地神護持我，爲什麼我還有病啊？」我說：「你說的是對！」但是另外一方面想，這個病在我身上，我們怎樣想呢？我們多生累劫害了很多人，我們讓很多人受痛苦，現在今生我們害病就是重難輕受，本來還要比這嚴重的多，例如癱瘓在床上幾年不能動，因爲在床上不能動，渾身都是爛的，我說：「沒有害到那種痛苦，你還能動，如果帶著病你怎麼念《地藏經》？你是不是天天念《地藏經》？」他說：「沒有！」我說：「那十齋日念？」他說：「也不是，偶而的，覺得心裏太煩了太苦惱了，我就念一念。」我說：「這樣效果就不太大。」要是眞正知苦了，要斷苦，苦怎麼來的，找找苦的因，那就別再做苦的事了；你天天還要做苦的事，自己還怕苦，這怎麼可能呢？苦是有苦的因，你要斷苦，斷苦，苦果就不受了。

佛菩薩所說的經典告訴我們，他有一種加持力，但是你也得至心求。我們供像，用輕心慢心的供著，沒把這尊像當成眞正地藏王菩薩在這裡，你供像所得的利益就小一點。

佛囑託堅牢地神說，以你的神通力擁護，這個人依《地藏經》修的，不但不如意事情不要輪到他身上，乃至於讓他聽都聽不到，他聽到了會心煩。

「非但汝獨護是人故」，佛又跟堅牢地神說，你不要認爲你一個人護持不了，不但你在護持，還有釋梵諸天眷屬護，「釋」就是指釋提桓因，三十三天主說的，「梵」是大梵天王，釋提桓因他有些眷屬，大梵天王也有一些他的眷屬，還有其他的諸天眷屬都會擁護誦《地藏經》的人。凡在忉利天聞法的人，都要護持《地藏經》，都擁護是人，觀世音菩薩也在護持，文殊菩薩也在護持，普賢菩薩也在護持，這些菩薩都護持《地藏經》，既然是護持經，你讀經自然就應當得到護持，得到安慰。

「何故得如是聖賢擁護，皆由瞻禮地藏形像及轉讀是本願經故，自然畢竟出離苦海，證涅槃樂，以是之故得大擁護。」這是總結，爲什麼這些諸天眷屬都來擁護？因爲這個人已讀誦了《地藏經》，已見了地藏像，頂禮讚歎禮拜一定能成佛，所有擁護的是擁護未來的佛，誰見了《地藏經》，誰稱了地藏名號，將來一定能夠究竟出離苦海，證涅槃樂，就是能夠成佛。「以是之故得大擁護」，因爲這個原因，釋梵眷屬才來擁護這個人。

見聞利益品　第十二

接下來這一品是〈見聞利益品〉，我先講一講題目。誰看見《地藏經》，誰看見地藏像，就這麼見一下子、聽到一下子，都有不可思議的力量，爲什麼呢？觀世音菩薩護持的關係。這一品專講觀世音菩薩。觀世音菩薩請佛說一說地藏王菩薩的功德，佛就囑託觀世音菩薩說：「你在這個娑婆世界上信你的、戀慕你的、聞到你的名字的，都能永脫生死苦海，一定能成佛。」假使觀世音菩薩擁護《地藏經》的話，力量就更大一些了，衆生離苦得樂的機會多一些了。但是這裡沒有說什麼修行的話，你只要是見、聞都可以都算數，最後就是囑累。不論是菩薩、諸天鬼神都來擁護《地藏經》，這部《地藏經》的功力就這麼大。

所以藉由這部經，我們可以知道，不論大乘小乘，只要是我們所需要的就是好的，我們知道金子是最好最值錢的，比珍珠瑪瑙都好，比饅頭大米飯強，但是在鬧災荒的時候還是饅頭大米飯管事一點，要看在什麼時候。現在我們這個末法時候，龍蛇混雜，造業者多行道者少，做惡者多行善者少，用眼睛看一看，說我們佛教徒該好一點，也不見得，就是和尚也不見得好，和尚喇嘛都包括在內，可能罪惡更大一點。佛陀教我們做的事不做，佛陀不教做的事偏要去做，這不是相反嗎？我們信佛，信佛的人就要做好事，把信佛當作幌子，在這個幌子底下做的就不是佛事了，他是魔王波旬派來的。

在《涅槃經》佛臨涅槃的時候，魔王波旬就跟佛講條件，說：「你死了，我就把你的佛法給破壞了！」他說了種種的方法，佛說：「你破壞不了，你這些方法都不行。」最後波旬說：「我讓我的魔子魔孫都去當你的弟子，穿你的衣服，吃你的飯，不做你的事，大家就不信了，因爲這個僧人不好，引起毀謗佛法。」

我有一個相反的看法，魔王認爲他得計了，如果按《華嚴經》講，你不入門，單聞個名字，也可以沾點邊。又像《地藏經》講，聞到地藏王菩薩一個名號乃至於見到《地藏經》，或聞到《地藏經》的名字一定能成佛。我說波旬把魔子魔孫都派這裡當佛教徒當然是造罪，完了也下地獄，但他的種子已種下了，最終還是得成佛，不但如此，連魔王波旬也種了善根，以後不當魔王了，已經轉變了。

看問題要面面觀照，端看我們怎樣看，四衆弟子掛羊頭賣狗肉，就是打佛的招牌也能成佛，《法華經》也是這個意思，單合掌小低頭都能成佛道。魔王讓他來當和尚，不論怎麼他隨衆也要唱一下，對不對？我們大家從這一方面看，應生起慶幸心，遇到《地藏經》，聽到地藏王菩薩聖號都能成佛，時間不一定，但一定能成佛。

這一品的當機衆是觀世音菩薩，在《妙法蓮華經》第二十五品是〈觀世音菩薩普門品〉，在《楞嚴經》是二十五圓通，觀世音菩薩就講反聞聞自性，聞是自性聞，就是心聞，我們現在把眼睛看見的，耳朵聽見的會歸於心，用心聽，用心聞，就是講利益，心見心聞比你眼見耳聞的功德要大得多。功德，就是你修行的行門，修行人行道，使心有所收穫，行道有所得於心就叫得。

見聞利益就代表「觀」，怎樣修觀呢？看見地藏菩薩像，就想到地藏王菩薩像是我們自己，藉這個像引發我們認識自己。因為我們自己不認識自己，只有釋迦牟尼佛認識自己，所以他成佛了，我這樣說大家可能會感到像笑話似的，說：「我認識別人，還不認識我自己？」認識到自己的是妄，是如夢幻泡影，虛妄的假像。自己原來跟地藏王菩薩是一樣的，心地藏性就是我們的心相。我自己不認得，因為不認得就隨妄而攀緣，聽見什麼起什麼分別心，聽到好音聲，人家讚歎你，稱讚你，你高興；聽見人說你壞話，毀謗你或罵你，你就煩惱，這叫隨境界相轉。

這個有沒有利益呢？我們現在是判斷利益，見了地藏王菩薩像，或者聽到別人念《地藏經》，講《地藏經》，或者見到《地藏經》在那擺著，就那麼一見，內容也不曉得，這個利益很小，充其量一生三生能得到善報，過了三生就沒有了。如果你會歸至心，以純淨心恭敬心面對，那就是無量劫了，萬萬生，千萬萬億生，所得到的利益就長遠了。

這一品在《地藏經》已到最後了，就是說這部《地藏經》跟地藏王菩薩的功德，所對我們的好處。這個好處有大有小，有究竟的有不究竟的，有了義有不了義的，端看你的心怎麼用。

舉個例子，好比是殺業，釋迦牟尼佛在《因緣經》裏講他本生的故事。過去有一個船主，這個船主想害死這一船的五百人，他勸這位船主不要這樣做，船主不聽他的，制止不了，菩薩就把這船主殺了。這種殺業是功德是罪業？這是功德。如果船主害了這五百個人，現生就犯了殺業，將來這五百個人會跟他要命債。不過菩薩把船主殺了，在他份中，菩薩要還他的報，不過卻救了五百個人，就當做菩薩的功德，要這樣權衡利害關係的。所以得這樣看利益，現在能夠見到這部經，聞了地藏王菩薩的聖號。因爲我們懂得看經或者聽法，懂得這個道理，從現在發心，發一個清淨心來恭敬地藏王菩薩；發一個清淨心來受持《地藏經》。現在很多的道友們都在誦《地藏經》，誦《地藏經》時，你要這樣的迴向，這就增強了見聞的利益。

「爾時，世尊從頂門上放百千萬億大毫相光，所謂白毫相光、大白毫相光、瑞毫相光、大瑞毫相光、玉毫相光、大玉毫相光、紫毫相光、大紫毫相光、青毫相光、大青毫相光、碧毫相光、大碧毫相光、紅毫相光、大紅毫相光、綠毫相光、大綠毫相光、金毫相光、大金毫相光、慶雲毫相光、大慶雲毫相光、千輪毫光、大千輪毫光、寶輪毫光、大寶輪毫光、日輪毫光、大日輪毫光、月輪毫光、大月輪毫光、宮殿毫光、大宮殿毫光、海雲毫光、大海雲毫光，於頂門上放如是等毫相光已，出微妙音，告諸大眾天龍八部、人非人等：聽吾今日於忉利天宮，稱揚讚歎地藏菩薩於人天中利益等事、不思議事、超聖因事、證十地事、畢竟不退阿耨多羅三藐三菩提事。」

這是放光。在一般的經中，佛開始講一部經，要說法的時候會先放光，放光是表智慧，表攝機。像這裡是放了三十二種光，這三十二種光是代表性的，說是放百千萬億大毫相光，百千萬億毫相光就是很多光明，而且這光明的名字是表法的，這是結集的時候安的名字。

在《華嚴經》上每一會都會放百千萬億種光，就表百千萬億種法。這一次是從頂門上放的，「頂」，釋迦牟尼佛像中間有個肉髻，那叫無見頂相，從這個肉髻當中所放出的光。爲什麼叫無見頂相呢？是一位八地菩薩做爲佛的乳母，佛降生之後，乳母抱起佛來，但是看不見佛的相，因爲佛的頂門上有光，看不清楚，始終見不到佛的頂，八地菩薩想見佛的頂，都見不到，乃至於上升至多少個世界，超出我們娑婆世界，到別的佛國土也見不到，所以叫做無見頂相。此相唯佛與佛乃能見得到，其他一切菩薩都不能見，這是形容詞，表法的，從無見頂相放出來這些光。

爲什麼叫「門」呢？在藏經裏面，有部《禪祕要法經》，說人的頭部就譬如殿堂，頭頂就稱爲門，我們有時說是天門開。所謂天門者像道家講，天門就是頭頂，這個頭頂就像我們人生下來，天門沒合的時候，那是有靈性的，就是我們的性門，小孩長大一點，這個性門漸漸就長起來了。現在密宗傳法的時候，說是採個草求往生淨土的，他的往生淨土不是指極樂世界，而是香巴拉國；修往生法的，那叫破瓦，破這個頂相，就像我們的性門開了。

佛就是從這個頂門放光。白毫相光，佛的三十二相中有一相是白毫相，白毫相本來是在眉中間，我們看印度的婦女，都在兩眉中間點個紅點，這是取吉祥的意思，本來白毫光是在眉間白毫中間放出的，這裡指在頂門上放，從這頂門放白毫相光。這個白毫相光福德大，一到了末法，弟子的福德、智慧都沒有了，佛這一份白毫相光就是他施給一切未來的眾生，加持末法的一切眾生。

白毫相光為什麼有大小呢？光有遠有近，有大有小，有厚有薄，哪一種光明的智慧就攝哪一類的眾生。瑞是祥瑞，一般說都是指吉祥的意思，就是對人生起一種吉祥意，瑞毫相光就是攝受一切眾生，讓眾生得到吉祥；但是這個會不同，這個會已經在忉利天集會這麼久了，都已經演唱了十一品經文，在這個時候，如來放光完全是對待末法眾生的。後面第十三品是〈囑累人天品〉，第十二品是〈見聞利益品〉，這個利益除了見經，見地藏王菩薩像，還有佛的這些白毫相光、瑞毫相光乃至最後的大海雲毫光，這些毫光就表如來三十二相的功德相。這些毫光講起來，大家感覺很牽強，這不是對我們說的，而是含著一種加持力，要搭配三十二相，搭配法來講的。

總之，這個相是根據另一部經《觀佛三昧海經》來解釋的。這裏有很多祕密的意思在裏頭，說起來有很多人不大相信，我們就總的說。佛在頂門上，放這些毫相光，有什麼作用？有什麼目的？我們的解釋是讓《地藏經》永遠流傳，使未來眾生不能生信的能生信，已生信的能增長，已增長的能夠位不退，那麼佛放這些光是加持，使這些末法眾生能信心堅定。我們講《占察善惡業報經》下半卷，地藏王菩薩跟堅淨信菩薩說，讓一切末法眾生能夠生起堅固的信心，這都是「一實境界、二種觀行」。於頂門上放了這些光，從佛無見頂相放光是身業，佛要說妙法，轉妙法輪是口業，以口業加持身業。

於「頂門上放如是等毫相光已，出微妙音」，放這些光是一種感召義。如果他方世界十方國土諸佛菩薩沒有到這個世界來的，以此光照亮那些國土那些世界那些佛國土，而且還發出音聲，出微妙音，微是微細，妙是不可思議，極柔和極美妙的音聲，說什麼呢？告訴這些天龍八部人非人等，這個放光跟音聲都是集經者說的，他結集這部經，演唱到這個時候，佛要重新的加持。還號召沒有參加法會的，或者已經參加法會的，或者對地藏王菩薩的殊勝功德、對《地藏經》的殊勝功德不理解的，再給他們演說。

以下就是佛說的話了，「聽吾今日在忉利天」，佛說這個地藏法會的那天就是「今日」，我們要是把它解釋爲現在也可以，也就是我們今天在這裡講經的時候；因爲「今日」是不定詞，不定於何時，涵義是不定的，佛是在忉利天宮說的，我們可以把他意會到何時何處都可以，我們把他解釋成今天也可以，把今天這個地方當成是忉利天也可以；處所是無一定的，這是佛的加持力。做什麼呢？「稱揚讚歎地藏菩薩」的功德，讚歎地藏王菩薩度生的事業，稱揚讚歎地藏王菩薩在人天當中做了那些利益衆生的事情，太多了。

在第九品〈稱佛名號品〉，地藏王菩薩說了很多佛的名字，聞到一尊佛名字就得到很多利益，那些佛都是地藏王菩薩親近過的，這是釋迦牟尼佛所說的話。我在忉利天，今天跟大家來讚歎地藏王菩薩利益衆生的事情，這些事情都是不可思議的。「超聖因事」，超就是超過的意思，聖因的「聖」字，可以指稱二乘說，聞到地藏王菩薩的功德，超過了小乘聖人。或者「超」字當達到的意思，我們就能夠達到將來稱聖，現在就種下因了。就是這些不思議事情能夠證得法身，由初地，二地一直到十地乃至於成佛，究竟不退阿耨多羅三藐三菩提，永遠再不墮落了。這一品〈見聞利益品〉，聞到佛的聲音，見到佛所放的光，我們是沒有見到，從經文上，你可以做觀想，把一切光明都觀成是佛放的光明，你的意念觀想也算數了，但是要清淨，所謂清淨者是指不要有貪瞋癡，不要有污染雜念，你思惟修就能得這樣的果報，究竟說來，能夠成佛是很簡單的，就是這麼一句話。

《地藏經》都快說完了，最後是囑累，也就是囑累這些大菩薩和在法會的人要宣揚地藏王菩薩，之後，佛又恐怕與會大衆，還有未來的這些衆生，他們信不及，信不堅定，懷疑能有這麼多好處嗎？因此佛又再次讚歎地藏王菩薩功德，也因爲佛這樣的讚歎而引起觀世音菩薩的請問；觀世音菩薩的請問跟前面有所不同，因此在發起觀世音菩薩的請問之前，佛才演唱了如是的讚歎、放光，我們要做這樣的理解。

總之，佛菩薩的酬唱，目的是讓我們生起堅定信心，因爲生起這種信心，對我們是有不可思議的、無量的功德好處。但是衆生的凡夫心，只看到現實的利益，如果我信你，能讓我有身心健康，能活一百歲，我就很高興了，就信你。未來的事太遠了，我現在很困難沒有錢買房子，我要是信你之後，你使我發財，諸如此類。我們的妄想心打的都是現實的欲境，財色名食睡五欲境界，像未來的超聖因事證十地事，畢竟成就阿耨多羅三藐三菩提事，這個信心，不具足。

佛是一切智慧者，他知道未來的衆生沒有這種智慧，沒有這種智慧，信心就不懇切了，所以才一再的啓示，一再的酬唱。例如前面的文殊師利菩薩、普賢菩薩乃至於觀世音菩薩，最後虛空藏菩薩也是說利益的，目的是什麼呢？讓我們信持名號、讀誦《地藏經》！所以佛菩薩酬唱的意思是讓我們達到這個目的，但是我們聽到經，聞到這些好處，我們有沒有做呢？有的做了，有的還做不到，爲什麼做不到呢？有很多的事物障礙住，讓你做不到，另一種是內心裏的惑，內向分。

《占察經》講到了自己內在的一部分，另外的是外向分，客觀的現實環境裏頭，你接觸的人地事物，在不同環境給你做障礙。例如我們家庭當中只有你一個人信，或者你的先生、公公婆婆、父母不信，一個家庭不是你一個人住，他不信，你就不能有充裕的時間來誦經，你要想禮拜誦經，他們給你做障緣。

《地藏經》講，要學地藏王菩薩慈悲，慈悲就不傷害衆生，很多的道友現在都不能夠不傷害衆生，不能吃素，所以你供地藏水，你行道多少就給你障緣。爲什麼不能做呢？就是一個內心的境界，一個外在客觀的環境，你就做不成。要是說這件事很容易做，念個地藏王菩薩聖號就很容易，你心裏想念，誰也干擾不到你，一天二十四小時，念的時候還是少，心裏總是攀緣其他的事物，這是什麼原因？我們經常說障礙，這就叫障礙。誰給你做障礙？你自己給自己做障礙，這種障礙就叫惑。因爲惑就起業，因爲有惑了，淨業不能起，善業不能起，惑所造的都是惡業，惡業當然要受。

我們每天都會遇到問題，好像信了佛，念《地藏經》，地藏王菩薩加持的力量還是不大，但一天當中還是有很多的煩惱、很多的痛苦。我說：「煩惱痛苦是誰給你的？」他想：「也不是誰給我的，是這些事情使我煩惱！」

我說：「這些事情又是怎麼來的？」不是地藏王菩薩給你的，他只能夠讓你來了解，惑就是不了解，就是迷，要想了解，了解就是明白，明白了之後，你總得有個解決辦法。你又信不及這個辦法，結果是按你自己的主觀意識去做，糟糕倒霉了，愈做愈苦，就由你主觀的惑而去造業，愈造愈苦。

也有人這樣認爲，例如我們現在當前有兩種問題，假使說像別的宗教，對吃葷、結婚沒有限制的話，信教的人不是會增加很多嗎？逐漸的引導他們到善業不是很好嗎？不過，不是這麼容易的，因爲惑是愈染愈深。例如說我們信佛出家最大的障礙很簡單，吃葷的問題，出家得吃素，但是現在出家人不一樣了，出家人也有吃葷的，像西藏的密宗都吃肉，南傳佛教，戒律守得很好，但是他們吃葷。我們佛教徒不能性解放，因爲這是絕對的貪，絕對的癡愛，絕對是業，絕不是清淨的。這樣一來，信等於不信，信了也沒有什麼用處，清淨的佛門四衆弟子就變成污染了，所以這開放不得。

我跟日本人辯論很多了，日本人的佛教，像《地藏經》，在日本是傳不開的，南傳佛教也傳不開的，就是在中國也很少，像講《地藏經》、講《占察善惡業報經》的，我還沒有聽過。在內地說講《地藏經》或講《占察善惡業報經》，講《地藏三經》的很少，以爲這不是大乘佛法，這是什麼原因？一個字就解決了，惑。所以儘管佛菩薩這麼的慈悲，反反覆覆的說利益，從開始到現在，《地藏經》每一品裏都要說利益，都先說他的好處，而後勸你信，這樣說所收到的效果如何呢？還是很好的，只要宣揚就好。

現在我們講《地藏經》、《占察善惡業報經》，很多人相信，總是要把惑業消一部分，雖然不能夠即身成佛，不能稱心滿意，惑業方面逐漸的損減，在事業方面，在身體健康方面，你自己不曉得已經轉化很多了。據我所知道的，我們在紐約的信徒道友們，轉化很多了，像幾十年的病，因爲持誦《地藏經》，就好了，他很高興就很信，你跟沒害病的人說，他就不信，因爲他沒有害病，他也沒有這些痛苦。像我們這些小道友們，他在學校念書，課程跟不上，他念念地藏王菩薩，念念經，他跟上了，開智慧了，他當然很高興，當然信。

我們必須給末法的衆生一些現實利益，他要求的，現在極迫切需要得到的，我們就應當加持他，讓他得到，我現在沒有這個力量，我現在是有這個願望，怎樣做呢？靠我們這些佛弟子大家共同持誦《地藏經》，念《地藏經》聖號。人家打佛七，我想打地藏七也很好的，拜拜〈地藏懺〉，拜拜〈占察懺〉，這樣子自己的修行就有力量了，人家來求，我們就可以給人家了，如果我們自己沒有一石水，想給人一杯水是不可能的。所以在學校當老師，這位老師只有一杯水，他給人家就是半杯水，或只有一口。

所以諸位道友勸人家信地藏王菩薩念《地藏經》，人家問你，你得到什麼利益？你都能得到些什麼好處？必須說出具體的事實，經文上有些例子你用不上，你用你的意思領會經文的涵義，跟人家說就行了。像這一部經牽涉到很多的經，牽涉到《法華》、《華嚴》也牽涉到《楞嚴經》，也牽涉很多的菩薩，文殊、普賢、觀音、虛空藏，圓滿的來化導衆生，目的就是要我們信。信完了，你要是明白了，那樣你就得到了，得到就是證。

佛教的整個教法就是「信解行證」四個字，信了求明白，明白修法、明白作法、明白它的意義。明白了就照著去做，做就是行，行就是修行，依照法門叫行，修什麼法就依照什麼法門，完了，你自然證得到；求大的證大的，求小的證小的。因為佛說了地藏王菩薩這麼不可思議的功德，引起了會中一位菩薩的請問，這位不是一般的菩薩，而是大菩薩。這位菩薩叫什麼名字呢？名觀世音。觀世音菩薩，大家都很熟悉了，因為常念常學習，他參加這個法會，見到佛在前面放了白毫相光，完了又稱揚地藏王菩薩利益眾生的事業不可思議，誰要是聞到乃至見到讀誦受持，就能夠究竟成佛果，畢竟證得阿耨多羅三藐三菩提。因為這樣的關係，觀世音菩薩就請問，觀世音菩薩的請求特別不同。

在別的會上菩薩請求了之後，佛就直接給他答覆了，並沒有表揚那尊菩薩，在《地藏經》裏頭觀世音菩薩請求完了，佛就先讚歎觀世音菩薩，說觀世音菩薩在娑婆世界的功德，跟地藏王菩薩差不多，說要是你來護持《地藏經》，《地藏經》更能夠普遍流布，能利益更多的眾生。

觀世音，在《心經》上叫觀自在，在《楞嚴經》上叫觀世音。觀就是觀想的觀，不是看，看是眼睛。音就是要用耳朵聞，他這不是耳朵，不是眼睛，而是觀，觀就是實相觀。我們講《占察善惡業報經》下卷，是「一實境界」。這種觀是什麼觀呢？是一心觀，這叫實相觀，又叫眞如觀，觀什麼呢？觀想世間的音聲，觀世音菩薩是由觀想世間的音聲，而證得圓通。在《楞嚴經》上他是證得耳根圓通，反聞聞自性，因此一切衆生能夠念觀世音的名號，就跟他結上因緣了。

觀到這種音聲，念他的名號，他就及時來救度，因此而得號，他怎麼能有這麼大的力量呢？我們引證《心經》的話，因爲他由實相觀就解脫了，解脫了就是自在，他觀的是「一實境界」，「一實境界」是無音聲的音聲。觀世音，世間的音聲是無音聲的音聲，「一實境界」，反聞聞自性，聞他自己的心體，是這樣的修觀。

這樣的觀也就是《心經》的照，他是行深般若波羅蜜多的時候證得這個自在，因爲行深般若波羅蜜多的時候，他能夠觀遍一切法界之音，一切衆生只要稱觀世音的名號，就能及時得救度。因此在〈普門品〉上說，他是此土的施無畏者，誰有畏懼苦難，念他的名號就能得救。我說這話或許有人會懷疑說：「我念觀世音菩薩念得不少，〈大悲咒〉我也持得很多，我的痛苦，好像是沒有得救！」這個問題跟念地藏王菩薩是一樣的，這個問題得從心理上解決，一者是每部經都告訴你求菩薩要至心。我們問問自己有沒有達到至心，至心是什麼心呢？就是一心，什麼叫一心呢？你必須跟他相應，雖然你沒有證得，你得明白，也就是你能理解這個意思，這才容易相應。

例如我們每個人都吃飯，吃飯的時候，佛弟子就想到佛菩薩，要先念供養，別的供我都不會，念個咒也可以，供養十方一切佛一切菩薩，這叫「普供養眞言」。我們吃飯時看到飯，肚子餓荒了，恐怕什麼都忘了，這是很簡單的一個問題。你一天當中的用心不完全是清淨心，連一念間的清淨都沒有，等到痛苦厄難來的時候，念觀世音菩薩，這是一種逼迫性，逼迫的來念，念得不至心，一邊念一邊想，或者你受冤枉了，或者哪一樁事想不通，你這邊念著菩薩，那邊想著那樁冤枉事，兩個交雜著有沒有感應呢？有的能夠轉化，但只是從重報轉爲輕受，要徹底的把禍業都銷滅是不可能的。

一定要懂得這種道理，不懂得這種道理你會產生抱怨心，會退失信心，不會堅淨信，這個一定要掌握住，不然你會退失信心的。恐怕一個月當中一心也沒有，偶而有時候一心，或者幾分鐘幾鈔鐘加起來也沒有好多。六十年當中，有沒有打問號的時候呢？有，心裏不平，中國有句老話：「不平則鳴」。這部經說有這個感應，那部經也求了感應。這幾十年了我求得不少，好像感應還不太大，就把這個求菩薩的心和夾雜的雜染垢心混淆在一起，等到明白的時候也晚了。不過我們永遠沒有晚的時候，有悔改心就行了，就算是最後一口氣，臨終那一念都不晚，如果你能夠掌握臨終那一念，能夠觀想菩薩加持你，感應最大了，因爲那個時候你受的痛苦讓你曉得，這口氣馬上就要斷了，至誠心來了能夠一念心。就怕到了那時候被痛苦逼迫了，迷惑不清楚了，那一念心沒有了，所以平時要準備。

在〈普門品〉上有這麼一段經文：「若有無量百千萬億衆生受諸苦惱，聞是觀世音菩薩，一心稱名，觀世音菩薩，即時觀其音聲，皆得解脫，若有持是觀世音菩薩名者，設入大火火不能燒，由是菩薩威神力故，若爲大水所漂，稱其名號，即得淺處。」到了危難時候是不是還能記得觀世音菩薩？只要記得，你念一定有好處的，現在觀世音菩薩來護念《地藏經》了。

《楞嚴經》中說在無量恆河沙億劫以前，有佛出世叫觀世音。他在那個佛前發利益眾生心，但是從那以後他也成佛了，叫正法明如來，成了佛之後又示現菩薩身利益眾生，他在古佛觀世音前發菩提心，所以成道之後，就用觀世音的名字。

觀世音的名號是自古以來就有的，但是他發了兩種心，第一種心是上通諸佛同一慈力，同一個慈悲心叫大慈；第二種下與眾生同一悲仰，第二種心就是跟眾生一樣的，求諸佛菩薩慈悲，仰望佛的加持，同一悲仰。因此他成道之後，哪一個眾生要是持他的名就跟他的悲仰心相合，哪一個眾生要是持他的名，或者是用般若心觀照，照見五蘊皆空，就是求佛道與諸佛同一慈心。

他現在發心來請佛說地藏王菩薩的功德，所以我們稱觀世音菩薩為大悲。其實每尊菩薩都具足大慈大悲，哪尊佛不具足大悲！但是觀世音菩薩是特別彰顯的，例如稱地藏菩薩大願，哪尊菩薩沒有大願呢？觀世音菩薩他願成佛，已經成過佛，又願度眾生，他沒有大願嗎？特別彰顯。每位菩薩有專門的行門，別的法門是兼帶的，像普賢菩薩大行大願王，那不是願嗎？文殊菩薩的大智，大智沒有悲願能成就智慧嗎？這是偏重他的德號而說。

釋迦牟尼佛在娑婆世界不是利益眾生嗎？所以十方諸佛稱讚釋迦牟尼佛甚為希有，說他最難能可貴了，他能來娑婆世界利益眾生，所以看諸佛菩薩的願力跟他自己的慈悲力，智慧力偏重於哪一方面，就像我們根據諸佛菩薩的願力，是根據我們末法時代所需要的。所以像《華嚴經》說的那麼多菩薩那麼多佛，我們跟他沒有結上緣，他對我們還是沒有辦法，度我們的時候還是困難，我們跟地藏菩薩、觀世音菩薩的緣特別厚，就比較接近，因為我們要求誰，我們自己熟的，幫道友們求，都是佛教徒，一求就容易靈，我們見到不相干的找人家幫個忙，你拿不動東西，找他搭個手，他也不幹，他瞪你兩眼走開了，跟你沒有這個因緣。就從這裡體會這個意思，佛菩薩本來都是普遍慈悲的，但是你過去跟他沒有結過緣，而我們跟地藏菩薩、觀世音菩薩的緣特別深厚，所以收到效果就很好。觀世菩薩向佛怎麼說的呢？

「說是語時，會中有一菩薩摩訶薩，名觀世音，從座而起，胡跪合掌，白佛言：世尊！是地藏菩薩摩訶薩具大慈悲，憐愍罪苦眾生，於千萬億世界化千萬億身，所有功德及不思議威神之力。我聞世尊與十方無量諸佛，異口同音讚歎地藏菩薩云：『正使過去、現在、未來諸佛說其功德，猶不能盡。向者又蒙世尊普告大眾，欲稱揚地藏利益等事，唯願世尊為現在、未來一切眾生稱揚地藏不思議事，令天龍八部瞻禮獲福。』」

這是觀世音菩薩敘述地藏王菩薩的威德。他說，世尊，我也有這樣的體會。地藏王菩薩是位大菩薩，他具足大慈悲心，能跟十方諸佛合，十方諸佛都讚歎他、稱揚他。合什麼呢？我們講《占察善惡業報經》的本覺妙心，是與妙覺的心合。所以上次講，我們的心地跟地藏王菩薩合，也就跟十方諸佛合，我們就是地藏王菩薩，地藏王菩薩就是我，也可以說我就是觀世音菩薩，觀世音菩薩就是我，你也可以說我是釋迦牟尼佛，我是阿彌陀佛，我是藥師琉璃光如來一樣的。為什麼呢？妙覺心故，我們本具的佛性是一樣的，在凡不增在聖不減，乃至於你墮到地獄三塗，墮到一闡提也具足他的體性，因此說合。要有這種信仰這種信心，堅淨信菩薩是要建立信心的。

《占察善惡業報經》下半卷是建立這樣信心，求誰求了半天，你是求你自己，發揮自己的性德，發揮自己的地藏菩薩，發揮自己的觀世音菩薩，所以觀世音菩薩當然是證得悟得的，爲什麼十方諸佛都讚歎地藏王菩薩呢？因爲他證得了跟十方諸佛同一體性的妙覺眞心，我們雖然也具足妙覺眞心，但是沒有開光，不起作用，相沒有妙用沒有光，空具一個體，不起作用，必須出脫垢染，那才眞正起作用。在這個世界上地藏王菩薩化現了千萬億身處所，無窮無盡的千萬億處所，每個處所都有他的化身來利益衆生。

觀世音菩薩不只聽到這個世界上釋迦牟尼佛這樣讚歎地藏王菩薩，也聽到十方法界無量世界的諸佛同聲讚歎地藏王菩薩的德行，音聲同而口不同，因爲十方世界處所也不同，那麼十方諸佛跟世尊怎麼讚歎地藏王菩薩呢？一時也說不完，「猶不能盡」，是讚歎不完的意思。「向者」就是說現在，前文所說的現在，「又蒙世尊普告大衆欲稱揚地藏利益等事」，我在會中聽到佛又要稱揚讚歎地藏王菩薩利益衆生的事情，我想聽一聽。「唯願世尊爲現在未來一切眾生稱揚地藏不思議事」，衆生天龍八部聽一聽就獲福了，這是見聞利益，也就是見聞瞻禮稱揚讚歎都可以得到無量的福德，這就是觀世音菩薩正式請佛說地藏王菩薩的功德，好使現在未來的衆生得到利益。

「佛告觀世音菩薩：汝於娑婆世界有大因緣，若天、若龍、若男、若女、若神、若鬼，乃至六道罪苦眾生，聞汝名者、見汝形者、戀慕汝者、讚歎汝者，是諸眾生於無上道必不退轉，常生人天，具受妙樂，因果將熟，遇佛授記。」

佛讚許觀世音菩薩大慈大悲，佛菩薩是沒有我執、沒有我見，沒有你高我低，不像我們總要壓別人一下，抬高自己，菩薩不是這樣的，他總是讚揚別人的盛德，使衆生信仰愈多愈好。觀世音菩薩讚揚地藏王菩薩，請佛說地藏王菩薩功德的時候，佛先說說觀世音菩薩的功德。這一段經文是說觀世音菩薩的功德，爲什麼呢？讚歎觀世音菩薩功德，觀世音菩薩都來宏揚《地藏經》，使衆生聞到《地藏經》，我們能夠得到《地藏經》就是觀世音菩薩護持的力量，其他護法神的力量，諸佛護持的加持力量。衆生的心是嫉妒障礙、懶惰懈怠的，人的惰性很厲害，懶惰成性，要是讓他少睡一會覺，多做點禮拜，多稱揚稱揚地藏王菩薩、觀世音菩薩，哪個菩薩都好，稱揚稱揚他們的功德，他就是不肯。好賭的在那裡很疲勞，可是別人邀他到場子去賭錢，他的精神來了，疲勞馬上就沒有了，好吸煙的好跳舞的，下了班很累了，今天有個舞會，他馬上就高高興興，疲勞全忘了，這叫業。要是做點聖業，持誦禮拜恭敬讚歎卻不願意。

釋迦牟尼佛來這個世界教化衆生，這個世界叫「五濁惡世」，什麼是「五濁惡世」呢？如果這個時候世界情況很不好，就叫「劫濁」。這個時候的衆生知見特別複雜，說簡單一點，對問題的看法很複雜，一千萬億個人有一千萬億個看法，六十多億人，起碼有六十億個看法，我說這樣都說少了，一個人有好多種看法，一會兒這樣認識一會兒那樣認識，這是「見濁」，知見不正，混濁不清。

還有煩惱特別重叫「煩惱濁」，我們有時自己跟自己過不去，實在過不去，沒辦法摔東西砸飯、砸碗，不曉得怎麼發洩他的煩惱，這叫「煩惱濁」。自己跟自己，人與人之間，乃至一個團體跟一個團體之間，這個說不清楚，太多了，煩惱濁，有煩惱就混濁了，不是清淨的，清淨就沒有煩惱了。這個時候也不好，知見特別複雜，煩惱又特別重。眾生的命不一定，壽命長短不一樣，跟天人不一樣，跟北俱盧洲不一樣，只有我們這個世界，人家壽命五百歲，每個人都活到五百歲才死，一千歲是到一千歲才死，我們這裡不一樣，十歲也死，生下來也死，沒生下來也死，「命濁」不是清淨的，這個世界的眾生不清淨，叫「眾生濁」，這叫五濁惡世。

當然不是說我們全都是具足的，但是你生到這個時候一定要具足五濁，你看問題的看法，有的人有時候清淨有時候混濁，但是煩惱都有，因爲你處在這個時代，處在這個社會，處在這個環境裏，一切眾生都不清淨，你不能清淨也不能夠清淨，除非你是化現的，或者你是大菩薩示現來這個世界度眾生。所以這個世界是特別苦惱的世界，因此就特別需要諸佛菩薩。有苦的逼迫，有無常的迅速，所以就求厭離，求這些佛菩薩加持我們，使我們厭離這個世界，再不到這個世界，這些大菩薩就是能夠把我們從這個苦海之中救出去，但是我們自己必須跟諸佛菩薩結合，必須相信他的話，要依他的教導去做。觀世音菩薩在這個娑婆世界，跟這個世界的衆生因緣很深，因緣很大，不論六道中哪一道的衆生，若有見到觀世音菩薩形像的，這個形不是觀世音菩薩的法體，而是他的形像。看見觀世音菩薩的像，戀慕了，見了捨不得走，思慕，嚮往，就是看見觀世音像不肯走，在那裡觀想思戀的，現在有的信徒，他的煩惱來了，就不供觀世音菩薩像了，把他送走了，乃至不信了。

有的見了觀世音菩薩生戀慕，乃至於讚歎觀世音菩薩利益衆生的功德。凡是對觀世音菩薩戀慕的讚歎的，這個衆生不論是誰，他一定能成佛的，無上道就是成佛一定不退轉，在這個過程當中不是生人就是生天，總是享受快樂不再受苦了，等到他修因修成熟了，果滿了，佛就給他授記。凡是說授記，就是說你要成佛，記你在當來什麼劫什麼時候能夠成佛，這叫授記。釋迦牟尼佛是在燃燈佛前授記的，授記他到未來的娑婆世界成佛號釋迦牟尼。現在佛菩薩給我們都授記了，只要見了《地藏經》，聞到地藏王菩薩聖號，但是沒有說你什麼時間在什麼世界成佛叫什麼名號，說你必定於無上道永不退轉，我們前面剛講的，究竟成就阿耨多羅三藐三菩提，這就是授記。授記的意思就是你將來在什麼時候一定能成佛，不過不是個別授記，等你修因成熟了，那就個別授記，說你在什麼時候什麼世界在什麼劫，你的世界叫什麼名字，你的佛號叫什麼佛號，那就是確切的授記了。

「汝今具大慈悲，憐愍眾生及天龍八部，聽吾宣說地藏菩薩不思議利益之事，汝當諦聽，吾今說之。」

這是讚許觀世音菩薩大慈大悲的請法。說你想請我宣揚地藏王菩薩利益眾生的功德事情，這是你憐憫眾生的心，是你憐憫這些天龍八部，那好了，你就聽我說地藏王菩薩不思議利益之事。凡是諦者，就是如理的聽聽，我說的是事，但是你由事上必須觀想到理，這叫「諦聽」。

像我們大家在這裡聽，最感興趣是聽我講故事，成佛的故事，祖師的故事，說一些善惡因緣，這不是如理的，我們一定要想到我就是佛，我就是還沒有成就的、沒有具足的、沒有顯現的佛，我就是地藏王菩薩，我就是觀世音菩薩，這就如理了。雖然說的是地藏王菩薩的功德，也就是一切諸佛的功德，一切衆生的功德。這又講到〈普賢行願品〉了，諸佛菩薩要報衆生恩，觀世音菩薩也要向我們報恩，地藏王菩薩也要向我們報恩，乃至於釋迦牟尼佛阿彌陀佛都要向我們報恩，沒有衆生他成不了佛。〈普賢行願品〉第九大願恆順衆生，「曠野沙磧之中有大樹王，若根得水枝葉華果悉皆繁茂。」衆生就是大地，如果沒有這個地，他的菩提樹在哪裡生長？沒有衆生給他滋潤，他又怎麼能結菩提果？因此諸佛菩薩成佛之後要報衆生恩，要度衆生。所以我們又是衆生又具足諸佛體性，不能說是佛，因為我們沒有無漏性功德，又沒有相，又沒有用，這就叫「諦」。

另一種是「諦聽」，不要逐境隨境變，聽到音聲隨音聲變，聽到說悲字隨悲字變，要如理的審察，諦者就諦諦思惟，思惟審察，這叫如理聽，你如理聽吧，我給你說。

「觀世音言：唯然，世尊！願樂欲聞。」

我願意諦聽，就請佛說吧！

「佛告觀世音菩薩：未來、現在諸世界中，有天人受天福盡，有五衰相現，或有墮於惡道之者，如是天人若男、若女，當現相時，或見地藏菩薩形像，或聞地藏菩薩名，一瞻一禮，是諸天人，轉增天福，受大快樂，永不墮三惡道報，何況見聞菩薩，以諸香華、衣服、飲食、寶貝、瓔珞布施供養，所獲功德福利，無量無邊。

復次，觀世音！若未來、現在諸世界中，六道眾生，臨命終時，得聞地藏菩薩名一聲歷耳根者，是諸眾生永不歷三惡道苦，何況臨命終時，父母眷屬將是命終人舍宅、財物、寶貝、衣服、塑畫地藏形像，或使病人未終之時，眼耳見聞知道眷屬將舍宅寶貝等，為其自身塑畫地藏菩薩形像，是人若是業報合受重病者，承斯功德，尋即除癒，壽命增益，是人若是業報命盡，應有一切罪障業障合墮惡趣者，承斯功德，命終之後，即生人天，受勝妙樂，一切罪障悉皆銷滅。」

這要分別講，先講天人，完了才講人間。

天人，很簡單，他的壽命都一樣的，等到他壽命將盡了，自然現了預報，他的花冠萎落，眷屬分離，都走開了，都不挨近他了，身上會出一種臭氣，他自己聞到都不耐煩了，知道將要死了。在這個時候他天福盡了，盡了就要滅了，要死亡了，這叫五衰相現；也就是花冠萎落，眷屬分離，腋下流汗，在這個時間知道自己要死亡了，天福享盡了墮地獄，墮於三惡道了。怎麼辦呢？求地藏王菩薩加被，如果在這個時間他能夠念地藏聖號，能夠持誦《地藏經》，馬上就轉變了，他就不會有墮三塗的果報了，這是假地藏菩薩的威力，使他能夠得到這種報酬，能夠不墮惡道，如果他沒有這種因緣，沒有聞到地藏王菩薩，觀世音菩薩佛聖號的因緣，他必須墮落。

例如我們在人間，到你臨終的時候，沒有助念的善友，你的善根又很淺薄，到時候什麼都忘了，就隨你生前所做的業受報。要不奢望別人來助念，自己得先準備。

做夢時要是有把握，到死時一定沒有問題，做夢一遇恐怖事，你馬上或念佛號或念經典，念一句都可以，馬上就醒。因爲你經常受佛教的熏習，〈大乘起信論〉專門講熏習，熏習的關係很大。例如我們現在聞法，你自己念經念佛號就是熏習，這種熏習的力量使你自己能做得主，如果你在做夢的時候，自己也遇到一些事物，遇到一些境界，總是勸人爲善，一點惡念不起，不論看到什麼境界不起貪染，一點惡念不起，一點瞋恨心不起，睡夢中有人罵你，有人迫害你，不起瞋恨心，愉愉快快的接受，你就有道力了。到你臨終的時候，你願生極樂世界就生極樂世界，在你睡夢中能夠做的主，到臨終的時候你就能夠做了主。

我們睡覺做夢的時候，往往會出現跟人打架，跟別人發脾氣，乃至也有害人的情景，甚至醒著時候自己還想點要害人。自己五戒持得很好，睡覺就不一定了。不過佛說，這樣是不犯戒，做夢所做的事情不犯戒，或者殺生也不犯罪，如夢幻泡影，是假的，但是你不曉得活著也是假的，不過這個假的跟那個假的，是假中之假，要是功夫到了，能夠在夢境之中做得主或者是遇到外頭境界相，非發脾氣不可的事，對方侮辱你沒有理，你能忍得下，這叫忍辱，你能夠心平氣和的接受，你把他罵你的聲音當成風，聽到人家謗毀你的聲音當成風，根本不動念，遇到什麼損失的事都不動念，都是慧想。

不只我們佛教徒，社會上有些達觀者，過去我們舊社會講「塞翁失馬，焉知非福」，他看問題看的很深入，那都是上天來的，或再來人或菩薩化身都不一定，遇到什麼境界他都往好處去想。戰國時候，塞翁養的馬生了一隻小馬，鄰居說：「好了！你又多了一隻馬，這是很喜慶的事情。」他說：「安知非禍，這不是什麼好事也許是禍事。」後來這隻馬長大了，馬丟了。別人又說：「怪不得以前塞翁說焉知非禍，沒有還好，心裏也不煩惱，養了這麼幾年養大了又丟了。」別人又給報來了，人家報憂時他說：「安知非福，這個也不見得是禍事！」隔不好久這隻小馬又跑回來了，別人又給他報喜說：「塞翁有先見，你看這個確實是，馬又回來了。」又來報喜了，他又說：「安知非禍。」後來他兒子小塞翁騎他這隻小馬，這隻馬有點劣性，一下子摔下來把腿斷了，那麼這隻小馬跑回來並不好，把他兒子的腿摔斷了，別人又給他報憂了，說：「塞翁這的確是可憂的事，把你兒子的腿摔斷了。」他又說

「安知非福。」這叫禍福不定論。後來國家打仗招兵，青壯年人都挑去了，他兒子是個殘廢人，是個跛子，當然不用當兵，所以是福不是禍。

人生禍福，用我們的肉眼是看不清楚的，我們認為是禍，其實是福潛伏著，互為因果。佛教講互為因果，我們要相信因果，你做什麼因一定得什麼果，存好心一定得善報，因果錯綜複雜的。我今生好心一輩子盡倒霉，有沒有這種事？是不是大家都說這個人是老好人，他盡遇到倒霉事，你曉得他內心做什麼？他自己最清楚，頂好是讓他自己明白，如果你盡做善事得惡報，這是做善事的果沒有成熟，等將來成熟時再享受，而以前做的惡果成熟了，現在你受以前的報，受過去就沒有了。

像《金剛經》上講，你遭了冤枉了，或遭了人家謗毀你，你前生的罪惡即為消滅，是好事不是壞事，我們現在講《地藏經》，大多注重在事上，在客觀的現實當中，我們一定要多建立淨信，不要遇事就懷疑，遇事就打退堂鼓，佛菩薩只能勸你，信不信由你，像說法者只能把這個道理跟你講，至於做主還是在你個人。

必須生前有殊勝因緣，如果生前沒有殊勝因緣，那臨終一念是得不到的，因此我們自己活的時候要準備好，不要等著那一念，那是靠不住的。到時候糊塗了，你說反正我也不修，每天懈懈怠怠的，到了我要死的時侯，有同參道友給我助念，這是靠不住的。

以前在上房山住洞的時候，跟我鄰近的道友也有個洞，他那個洞離我那個洞相距十里，我們兩人都訂的有合同，誰先死就給誰助念，那時候我們兩個年齡都不大，現在已經隔了五十多年了，我知道他到哪裡去了呢？等到他來給我助念，恐怕不行了。反正現在我也沒有死，他如果死了，我如何去幫他助念，這都是靠不住的。

最好是自己生前就準備好，或者在你病重期間，先把你的遺物處理好，塑了像，那就很好的。爲什麼經常說最後那一念呢？因爲那是最關鍵的時候，所以在最後臨終那一念，要是聞到地藏王菩薩名一聲歷耳根，他的攀緣心就專注在地藏王菩薩上，把痛苦逼迫都忘掉了。這個是不可思議一念的心所，能夠使他永遠不墮三塗，如果我們事先就修好，到了那時就有把握了；不需要別人助念，自己念，那就最好了。但這都是指善終的。要死的話，這是說笑話，我認爲得癌症最好，爲什麼呢？他死得很明白，得癌症就知道不行了，已經判了死刑了，那他就準備，就把自己的財產處理好，請人塑像念經，活著時候就念好了，就準備好了。假使說出車禍或者遇到什麼意外，什麼準備都沒有，誰又能到他耳根旁助念呢？不可能。這是有條件的，有局限性的，這個病人知道他病重了，知道自己的善根不太大，得做點好事，免除三塗的痛苦，六親眷屬幫著他，把他的財物、東西塑了像，讓他知道有好處，如果你生前自己做了，那就不用別人幫你做，你自己都做好了，這裡是說平常不修，或者他平常也不信佛，也不是佛教徒，遇到這個情況你幫他做了。

如果是善病的，因爲做這麼一個功德，不但沒有死，病反而好了，這是一種情況。如果沒善病的人，像我們佛教徒天天念經，經常的塑像印經，這個功德到時候你會得到果報的。前面講了，說見了地藏像，聞了地藏菩薩的名號永遠不墮三塗了，像現在這些佛教徒具足信心，當然不會墮三塗。但是你要使你的道力更加增長，就是遇到一些事少點煩惱，平常的心情永遠安定，煩惱就是不安定的，你平常所用的功就積累了，這是一種情況。這兩種分析就是善病的病重，可能是因爲念經念地藏聖號病好了，也可能死亡了。

下文就說死亡了，人要是業報命盡，因爲他的業報感應的命已經盡了，命雖然是盡了，他造的罪沒有盡，應有的罪障乃至於過去所做的業，業障是障礙了，有這個業障是障他的善趣，不能到善道去，一定要墮惡趣，由他的業報及所做的罪，合墮惡趣者「承斯功德」，承什麼功德呢？就是塑像，念地藏聖號，承這個功德，他命終之後，生人中生天上，不會墮三塗的，在人中也受快樂，在天上更受快樂了，罪障銷滅了，一切罪障悉皆銷滅。這個塑像念聖號的功德在我們來看不大，怎麼說不大呢？我們都能做，不會有很大的困難，念一千聲地藏王菩薩誰不能念呢？都可以念的，塑貴重的像塑不起，一般的像還是塑得起！你請幾張紙像還是請得起，這個善不算太大，但是可以破壞你的罪障，銷滅你的罪，銷滅你的障，小善能破大惡，你在佛教裡種的一點點小善業，能銷除你過去所造很大的惡業。

就像我剛才講的，如果做一件事情，用我們的心力把做那件事情的善業擴大，用你的心力把他擴大迴向，那就不是小善；所以能破你的大惡，就把以前做惡業的果給消失了。爲什麼我們要拜懺呢？拜懺的目的就是把我們過去做錯的事情懺悔掉，不能邊懺邊做，這是不行的。悔就是改，以後再不做了，知道這樁事做錯了以後不做了，再大的惡，因爲改了，惡業小了也消失了。如果你知道是不對，一邊改一邊做，這個是改不掉的，罪惡不得消失；所以只要懺悔，懺前面的改後面的，你的一切罪障才能銷滅。

「復次，觀世音菩薩！若未來世，有男子、女人，或乳哺時、或三歲、五歲、十歲以下，亡失父母乃及亡失兄弟姊妹，是人年既長大，思憶父母及諸眷屬，不知落在何趣？生何世界？生何天中？是人若能塑畫地藏菩薩形像乃至聞名，一瞻一禮，一日至七日，莫退初心，聞名見形，瞻禮供養，是人眷屬假因業故墮惡趣者，計當劫數，承斯男女兄弟姊妹塑畫地藏形像瞻禮功德，尋即解脱，生人天中受勝妙樂，是人眷屬，如有福力，已生人天受勝妙樂者，即承斯功德轉增聖因，受無量樂。」

這是憶念六親眷屬親人。有的小孩子小的時候就失去父母或兄弟姊妹，不得團圓了。「若未來世」，佛跟觀世音菩薩說，從此以往的未來到未來，不論是男人是女人，在乳哺的時候，就是還不會說話，吃奶的時候乃至於兩歲、三歲、五歲，漸漸長大，到十歲爲止，在這個時候失去父母，或像孤兒不知道父母是誰，乃至於兄弟姊妹，等到他長大了，想起自己的父母，自己的眷屬六親姊妹，他們到什麼地方去了呢？有的在現世界，有的已經死亡，死亡了生到何道去了？到哪個世界去受生去了？

「是人若能塑畫地藏菩薩形像乃至聞名，一瞻一禮，一日至七日，莫退初心，聞名見形，瞻禮供養。」這幾句話就是說，知道有自己的父母，有兄弟姊妹，想見自己的親人，想知道他們現在在什麼地方？或者他已經死了生在哪一道去了，你怎麼辦呢？你塑畫地藏菩薩形像，或塑或畫都可以，乃至於沒有塑像只是聽到，聞名就是聞到地藏王菩薩的名號，一聽到名號心裏很感動。

「瞻」就是瞻望一下看一下，「禮」就是頂禮一下，磕幾個頭一天做這麼一次，或者做到七天，這是一種。如果你一聞名了，就勇猛精進連續不斷的，我們所謂的打七，修行七天，念地藏王菩薩的名號，乃至於見到地藏王菩薩的形像，頂禮讚歎乃至於供養，只要你在七天當中就是這麼做、這麼修行、這麼迴向，對於已故的眷親就會有所幫助！假如父母或者兄弟姊妹眷屬已經不在人間，隨著個人的業而墮到三塗了，凡是惡趣就是三塗，地獄惡鬼畜生，已墮到三塗就不是一天兩天能出得來的，墮到地獄惡趣的時間是很長的。

「承斯男女兄弟姊妹塑畫地藏形像瞻禮功德，尋即解脫」，不論他墮到三塗的時間有多長，由於你給他稱地藏王菩薩名號，塑畫地藏王菩薩的形像，以這個功德他就超脫三塗了，由三塗生天上就受勝妙樂了，享受快樂了，在《地藏經》上是這麼說的。有時候也可以用《占察善惡業報經》的方法，也就是念一千聲地藏王菩薩的名號，再用占察輪去問，問我的兄弟姊妹父母死亡到哪一道了？擲完了知道他到哪一道，你就給他懺罪消災。《占察善惡業報經》是這樣說的，你如果聞到地藏王菩薩的名號，乃至於相信地藏王菩薩所說的話，你就能離一切障礙，速即離一切障礙，而且能夠成佛即至無上道。我記得《占察善惡業報經》是這樣說的，《占察善惡業報經》、《大集十輪經》、《地藏經》這三部經合起來觀更全面一點。

假使說你要想知道你的六親眷屬，他們的去處，想給他們消災，不管他們離得多久，或者三十年五十年，或你現在聽到地藏王菩薩聖號，過去沒有聽到，《地藏經》也沒有聽到，《占察善惡業報經》現在才聽到，就想讓你的六親得到一點利益，你現在做也可以，不論他們墮到哪一道。但是你自己對你的弟兄姊妹或是你還在乳哺時候，或者你家庭就沒有人了，或從小被人抱養，等你長大了，你知道你還有自己的六親眷屬，你想要知道他們怎麼了，怎麼辦呢？你連相貌也沒有見過，也無從回憶，你就這麼思念都可以，給他們做佛事，念地藏王菩薩聖號，也許你在夢中能見得到。我們在夢中夢見了許多我們不認識的人，而且感到很親切，那就是你過去的六親眷屬，這類夢恐怕誰都夢見得到的。

或者在夢中遇到危難的事情，過來一個不相干的人來救你，對你表示親切，那就是你的六親眷屬，如果你醒了之後，趕緊給他念念地藏王菩薩，拜拜懺，他就能得到好處；他得到好處，他又回饋給你，那就增長你的福利；這樣輾轉迴向，功德就大了。這是屬於多生累劫的，不是一生兩生的。若說我過去的六親眷屬並沒有到三惡道，他的福報也不錯，你給他念了地藏王菩薩，增加他的福慧，他可以修出世道了。

「是人眷屬如有福力已生人天」，就是說你這個眷屬已經生到人道天道了，已經在那裡受妙樂了，但是你又給他迴向，這個就是出世的聖因，「轉增聖因」，以你這個迴向，持地藏聖號誦經的功德，他又得到出世的聖因，聖因就是超出三界之外的聖因，成聖人了，成大菩薩，成佛了，那就是永遠的享受快樂了，自性的快樂就無窮無盡很快就成佛了，也就是免三惡道苦，身心俱得快樂，這就是從淺入深，漸明，如果你又進一步修行呢？

「是人更能三七日中，一心瞻禮地藏形像，念其名字滿於萬遍，當得菩薩現無邊身，具告是人眷屬生界。」

因爲你只能給他做功德迴向，他究竟有沒有得到呢？你自己不知道，該怎麼辦呢？就多用點功力。三七日，三七二十一天，你放下身心，修行三個七，修行二十一天。作什麼呢？拜懺，念地藏菩薩的名號滿萬遍，滿萬遍不行，十萬遍成不成呢？有時候也不行，你就念一百萬遍，念到一百萬遍絕對成。因爲念的時候大多有散亂心，不能一心，你念的遍數多了就容易一心，而且念的愈綿密不斷愈快愈好，爲什麼呢？妄想就擠不進來了。我過去念一萬聲地藏王菩薩聖號要三個小時，這裏頭夾著很多妄想，現在縮短了，一個半小時能念一萬聲，妄想少，除了「南無地藏菩薩」這六個字之外，別的都不知道了，要能念到這樣子，那就是一心了。因爲一切妄想擠不進來了，如果能縮短到一鐘頭一萬聲聖號，一部《地藏經》只念半個小時，這中間什麼妄想都攆跑了，沒有了，不容易打妄想。

如果你繼續這樣三個七，三個七不行，十個七，七十天，七個七，七七四十九天，效果就很好了。有的時候十個七一定見效果，或是地藏王菩薩夢中給你現身，或者你夢中得了感應，三業雖然沒有完全清淨也大致差不多了，這個時候的身心會生起一種特殊的感覺。

一九三六年，我在青島，要請弘一法師之前，就開始拜〈占察懺〉，也就是學打地藏七，感應很好，可是在很好的當中，局勢改變了，日本打來了，占領青島，修不成了。因爲我住的地點，日軍天天來騷擾，功課就中斷了。由於以前用功得很猛力，有種降伏的力量，把一切惡業或不善業降伏下去了，等這個力量消失了，外界干擾的力量一來，心簡直不能定下來，接著那幾年間東跑西跑，一下到北京，一下到天津，完了去東北。四〇年又到了拉薩，也跑印度，這一跑功力都沒有了。

修行不是很容易就可以成道的，功力一散，面對魔障的時候就很容易墮落，一直到後來在西藏學了密宗，持了一些咒，受了一些灌頂，也好像沒有得到多大的利益，所以一出來，從五〇年元月份起，就住在監獄，一直到一九八二年平反，這一住就是三十多年。

有時自己靜坐，從一九三六年想起，想一想那時候的境界，我個人這幾十年的經過，就知道想成道斷煩惱，不是幾句話，也不是一年兩年的事。所以三七日並不是很長的時間，以我們現在的業、現在的智慧跟我們在修行上付出的代價，三七日是不行的。不信的話，哪位發心菩薩將來試驗一下就知道了，眞正能夠制心一處的三七天，地藏王菩薩一定給你現身，現無邊身，不是現這麼一個相而已，也不只是在夢中現的，遍虛空都是地藏菩薩像，不但告訴你的眷屬生界，你成道了，他雖然不告訴你，你自己也會知道了。

「或於夢中，菩薩現大神力，親領是人，於諸世界，見諸眷屬。」

在夢中地藏王菩薩就把你帶去了，一念之間就把你帶去了，看看這是你的父親，這是你的媽媽。就像《地藏經》上前面說的，婆羅門女念覺華定自在王如來，就帶她到地獄去了。在經文上說得很簡單，你必須修行三七日二十一天，但是有兩個字不容易做，就是「一心」，三七日中，我們能夠達到三個小時「一心」就不得了了，由三個小時就能延續到三十個小時，三百個小時！我們的心定過嗎？我們這個妄想心定過嗎？要能定過三個小時的「一心」，你到臨終只要一念，幾秒鐘的「一心」就到極樂世界了。

這些我們都要想辦法達到，我們可以試驗，什麼時候試驗呢？最近就試驗一下子，看能不能達到，估算一下，如果用苦功，一天能用十四個小時，另外八個小時，可以用來睡眠、吃飯，乃至接觸點別的事情。一天要能是能用上十四個小時，拜三部懺，念三萬聲地藏王菩薩聖號，完了再坐著修止觀，一個七兩個七，你修這麼幾個七，完了，用《占察善惡業報經》占察的方式，了解自己修行的狀況，我想七個七，或許能有所轉變。像這段「是人更能三七日中．．．菩薩當現無邊體」，到時候也現不著，好像經上盡是在騙人的，佛教所說的話，我們都轉變不了業力，什麼原因呢？功夫不到，我們不妨試一下子，多用點功夫。

在夢中菩薩現大神力，有時候現相，夢中有時還容易；現在我們要求的不是在夢中，而是在你修行當中，或靜坐、拜懺當中，正拜的時候菩薩現身，要這樣來現身更確切一些，大家不要認爲拜懺的時候是不是著魔了，不會的。唯獨拜懺不會著魔的，你要是打坐參禪，那就不一定，只有拜懺不會的；正在磕頭禮拜持誦名號，用的很猛利，這個時候所現的相絕對是眞的，因爲你念的時候魔進不來，在你用功的時候，一天稱聖號拜懺稱諸佛名號的時候，魔進不來，道場之中，魔也進不來，所以你見到的絕對是眞實的。

爲什麼我們坐禪不行呢？像我們平常都是散心雜話的，雖然也是在用功，一天夾雜著很多世間上的事，或者跟人閒聊，聊得很長的時間，所聊的那些事物又入了你的腦筋意識了，或者你自己打妄想，一想想了幾個鐘頭，大家想一想，當你失眠的時候，夜間睡不著，或者想發財發不到，或者被外面討債的逼得很苦，黑夜睡覺睡不著，幾個鐘頭的妄想，你感覺時間很短，睡不著一下子天亮了。在這種時候所現的，不論你看見佛，看見菩薩，都是妄想，都是魔，那不是聖境。

如果你在稱聖號、拜懺的時候所現的，都是聖境，絕不是魔，因爲你現在求的是仗他力，不是自力，因爲你求地藏王菩薩，拜懺是求了很多的佛，求著佛菩薩求著地藏王菩薩加持你，這個法會的主角是地藏王菩薩，你求地藏王菩薩，地藏王菩薩就護持你，若地藏王菩薩沒有在，護持地藏王菩薩的那些護法神也一定在，乃至於那些魔王想害你的也進不來，若你不拜了，道心退了，那時候會來，在你正用功的時候，正在求的時候，不會來，所以說拜懺絕不會遭魔，從來沒有聽過拜懺拜到遭魔了，沒有的。修禪定、持咒心裏胡思亂想的，那種易遭魔，你拜懺稱聖號，晝夜二十四小時這樣做，不會遭魔。

「更能每日念菩薩名千遍，至於千日，是人當得菩薩遣所在土地鬼神，終身衛護，現世衣食豐溢，無諸疾苦，乃至橫事不入其門，何況及身！是人畢竟得菩薩摩頂授記。」

這一品是觀世音菩薩請法，觀世音菩薩要護持《地藏經》，這個還得要有點福德，不然四十天念一百萬聲，還不一定能順利念得完，這四十天當中要是出了點事，就使你念不下去。好比說經常打七，結果一個七都打不下來，眞正要用功的時候，一下子家裏來電報，一下子廟裏出什麼事，使這個七圓滿不了。印光老法師打七經常出問題，他曾經閉觀閉了二十年，他的經驗很多。現在妙運法師來了，我看妙運法師也是閉關二十年，大家可以請教他一下，問問他這二十年閉關的經驗，我想打地藏七不要二十年，兩年怎麼樣？把兩年再縮短為兩個月，誰肯？能坐兩個月，放下身心，我看你會開智慧的，你能降伏的，在這兩個月當中不出問題，能夠坐下來，一天當中拜三遍〈占察懺〉，三個小時念三萬聲地藏王菩薩，要是念得慢，九個小時念不到，再加三個小時，十二個小時，你還有十二個小時，睡覺也足夠，飯也夠吃了，時間是有的。你要是這樣子一天拜三遍懺，念三萬聲地藏菩薩，在末法時候你就不得了了，你能夠這樣做，當時你就是菩薩，做一天算一天，做不下去再說，有機會就做，這就叫驗證。

在過去我們是求大德驗證，現在到哪裡求驗證？你不懂，他還是不懂。我年輕當小和尚二十多歲時也是滿天跑，聽到哪個山裏有大德，我就找去了，求他印證，讓他指示修行的方法。他說：「我有啥法子，佛經都告訴你了，佛不是說了很多，你學了就去做。」我說：「我想找個更方便更善巧的。」他說：「那就念南無阿彌陀佛六個字。」我說：不要這個，我已經知道了。」他說：「知道了！你找我做什麼，你去吧！」都是這樣。

我感覺過去的大德，沒有我們現在有耐心，你找他，三言兩語就說：「你走吧！」站起來就走了，沒有時間跟你講這些閒話，你還是得走，這還是出家人請示出家人。要是在家人去了，他在外頭給你掛個牌子禁語，禁語就是他不說話，再不然我現在打七，再不我現在休息，不是像善財童子五十三參那麼容易，也不是現在聽到哪個法師一跟他談就幾個小時。像我這樣的法師，我自己也沒有修行，你要談，我就陪著你談，談多少時間都可以，因爲我沒想了生死，我也沒想求地藏王菩薩加持。但現在我也改變主意，也想求地藏王菩薩加持一下子，我說這個就是我自己想試驗做一下，因爲過去條件不具備，也沒有地點，現在有人發心，有這麼個地點，那我就試驗一下，要能這樣做，打完了三七天之後，再能夠一天念一千聲地藏王菩薩的聖號，不但現在的衣食豐滿，一切如意，菩薩還給你摩頂授記，授記你一定成佛，一定能了生死。

「復次，觀世音菩薩！若未來世有善男子、善女子欲發廣大慈心救度一切眾生者，欲修無上菩提者，欲出離三界者，是諸人等見地藏形像及聞名者，至心歸依，或以香華、衣服、寶貝、飲食供養瞻禮，是善男、女等，所願速成，永無障礙。復次，觀世音！若未來世有善男子、善女人欲求現在、未來百千萬億等願，百千萬億等事，但當歸依瞻禮、供養讚歎地藏菩薩形像，如是所願所求，悉皆成就。復願地藏菩薩具大慈悲，永擁護我，是人於睡夢中即得菩薩摩頂授記。」

未來世是指我們這個時候，有人想發心要利益眾生，不論男子女人發廣大慈心，不求自己現實得到衣食豐滿，也不要求給自己授記成佛；他發心讓一切眾生授記成佛，以一個大慈悲心效法地藏菩薩救度一切眾生。他發菩提心，欲修無上菩提、欲出離三界，說得廣泛一點，欲一切眾生出三界，就是把大家都度成佛，他這個心就跟地藏菩薩合了。換句話說，他就是地藏王菩薩了，誰要是這麼做，誰就是地藏王菩薩，我只做一天，那麼這一天是地藏王菩薩，明天不做了又是眾生，哪天做哪天是，哪念心做哪念心是，一念心做一念心是，念念心做念念是，地藏王菩薩就加持你了。

「是諸人等」，這個發大心的人，如果以這個心見了地藏的形像，聽了地藏的名字，誠誠懇懇至心的歸依地藏王菩薩，再加以供養香華、衣服、寶貝、飲食，那麼地藏王菩薩就加持他，他發這個願一定能成就，「所願速成永無障礙」。因爲見了地藏菩薩像，聞了地藏王菩薩的名，又能夠皈依地藏王菩薩，所以地藏王菩薩給他消除障礙，心是自己發、自己加持，也就是地藏王菩薩加持。

我常這樣想，如果我發了菩提心利益一切衆生，不會再找個靠山；如果不聞法，不生起殊勝感，怎麼能發起菩提心來了呢？發菩提心者，這個心就是藏性，就是地藏菩薩本身所具足的，我們發了這個心，我們也具足。那麼你不求加持，地藏王菩薩就是你，也就是自身加持自身；又皈依地藏王菩薩，也就是自心皈依自心。《占察善惡業報經》的下半卷就講一實境界相，因爲一實境界相成就你的定，成就你的慧，定慧均等，你才能夠發菩提心。發心之後，你逐步的完成這個心願，豈止地藏菩薩，普賢菩薩也在加持你，文殊菩薩也在加持你，本師釋迦牟尼佛也在加持你，你放心的去做，因爲心只是一個心，所以說一心念地藏王菩薩聖號，這一念心就是地藏王菩薩。

但是我們現在做起來有困難，這些道友，不論是聽法的弟子，皈依的弟子，我們登記一下，現在能有幾個人一天念一千聲地藏王菩薩聖號的？一千聲聖號要多少時間呢？念快一點，十幾分鐘就念完了，我們不說至心，你沒有散亂心念又怎麼達到至心呢？我念一千聲，念一千聲不能聲聲都是一心，總有幾個一心吧！念念從心起，念念不離心，用這個心來念又不離開這個心，一千聲當中給他打一半的折扣五百聲，五百聲也不行，我們就取一百聲能夠心裏很清淨的念，十聲總該有吧！但多數的人還是沒有念。

儘管聽了《占察經》，聽了《地藏經》，雖有念經的，但要說至心很誠懇的念，總是爲了衆生而念，這樣發菩提心的人還是不多，我們怎能說地藏王菩薩不加持我們呢？經上要求我們做的都沒有做，方法再好也是不行的，爲什麼？方法再好，你不做還是得不到。經上是不是騙我們的呢？能夠消災免難，能夠得到一切的好處，能夠衣食豐足，現世衣食豐溢，什麼疾苦都沒有了，在具體的事實上恐怕信不及，不但一般人信不及，甚至於出家幾十年的還信不及。

這是什麼原因呢？就是他沒有照經上所說的方法去做，現在應該做了，無論什麼方法都是叫我們做的，信解行證，要行才能證，要行才能兌現，你要是不做兌不了現，而且這個兌現絕不假的。不像世間法，這個是跟你至心相合的，業障一消失，你的智慧就顯現，有智慧的人他不會只說不做的；他是邊說邊做，在做當中隨時隨地利益衆生。修行的時候是利益衆生，不是爲了自己成道。自己在屋裡修行，怎麼利益衆生呢？要是不修行，沒有道力如何利益到別人呢？你要師父加持你，現在有困難，師父幫我想個辦法吧！自己都自顧不暇，拿什麼力量來加持你！

所以自己得修。修行的時候就是利益別人，給別人迴向，讓別人得到好處，自己受一點苦就值得了。但這是實事求是的，眞正的去做，這樣來求你加持的人才能眞正得到好處。如果你自己只說不做，大家都不做，那就是自己騙自己，自欺欺人。很多的事情都是自己欺騙自己，馬馬虎虎的，不論作什麼都不認眞。特別是修行人，修行不認眞，是自討苦吃，你會毫無所得。

雖然得到一點果報，受點好處，但好處是有限的，隨時會消失。

經過一百劫這樣的供養大菩薩，都不如於食頃之間禮拜供養地藏王菩薩。這個問題我跟大家說過很多次，因爲在某一個法會以某一個菩薩爲主的時候，就特別讚揚讚歎他、推崇他，如果在〈普門品〉上，就是以觀世音菩薩爲主。在《華嚴經》〈普賢行願品〉上，普賢菩薩的功德又不可思議了。但是我們現在講的是地藏王菩薩，佛跟這些大菩薩說完之後，爲什麼還要這樣推崇地藏王菩薩呢？因爲地藏王菩薩在這個世界的因緣特別多，功德特別大。

如果求地藏王菩薩，你的願速得圓滿，求文殊、普賢、觀音、彌勒，乃至於百億恆河沙那麼多大菩薩，都不如求地藏王菩薩，本來法界之內十方世界的淨佛國土有很多的諸佛，爲什麼我們單單要求生西方極樂世界？因爲阿彌陀佛有這個願心，他跟我們有緣，他發願要度娑婆世界的衆生生到他的佛國淨土；其他的淨佛國土的佛，沒有發這個願。就像我們要想買傢俱，要到傢俱店，要是到超級市場、菜蔬市場，你就買不到，想買凳子都沒有，原因就在此。

因爲他的願跟你所要求的兩者相合了，因此在《地藏經》、《地藏三經》上，特別推崇地藏王菩薩，乃至我們前面說這裏面有文殊、普賢、觀音、虛空藏，這些菩薩都是來護持《地藏經》的。在佛經裏並不是推崇那一個貶低另一個，不是這個意思，在哪部經就讚歎哪位殊勝的功德，使你有一種特殊的信仰力。如果你供養了文殊、普賢、觀音、彌勒，像這樣的大菩薩百億恆河沙這麼多，都不如一食頃供養地藏王菩薩，好像這些菩薩功德沒有地藏王菩薩大，不是這個意思。因爲你所要求的事情，大多數是人天層次的事情，這是地藏王菩薩發的願，他專度受苦的衆生，所以他的功德大，能夠生起大的饒益。

地藏王菩薩手裏拿著一個紅珠子，叫如意珠，就是滿衆生願，如你的意，你求什麼他就滿足你什麼。因爲在這個世界成熟衆生，他有大悲福藏，能夠滿一切衆生的心願，因此這段經文說，你有百千萬億的要求都可以求地藏王菩薩，因爲他而速得成就。

「復願地藏菩薩具大慈悲，永擁護我，是人於睡夢中即得菩薩摩頂授記。」我們都是佛授記成佛，這裡是地藏菩薩授記，因為你的至誠感應，地藏王菩薩就現，因為他的願力無邊，使你的信心堅固了。《占察善惡業報經》叫堅淨信，你必須清淨信，信心堅固了，能夠感到菩薩跟你授記。授記是指說你在什麼劫，將來一定能夠成佛；多數人沒有要求菩薩給我授記成佛，只是要求免除現在的災難，將來不墮三塗，這就是一般人的最大要求了。

但是從《占察善惡業報經》的下半卷可以看出來，我們一定要有成佛的要求，要求我們自己作佛，我們更祈求地藏王菩薩加持我們。「復願」就是又願地藏王菩薩加持我們，因為他具足大慈悲了，使他永遠擁護我們。我今生遇到地藏王菩薩，求他生生世世的永遠一直到我成佛，你在睡夢中就能感應到菩薩摩頂授記。

每一位學過《地藏經》、學過《占察經》的人，你可以測驗一下，證實一下，證實地藏王菩薩靈不靈，無論有什麼危難的事情，你要是至誠懇切的求，從三藩市到紐約，我所知道的不只一、二十件，確實是求什麼得什麼。個人求的不同，一樣能滿足。今天你的腦殼痛了，醫生說沒有病檢查不出來，你沒有辦法，醫生都不能治，但因爲你聽到《地藏經》，念地藏王菩薩聖號，念完了，在睡夢中或者過了兩天，眞的好了，你也不知道怎麼好的。有時候很明顯的在夢中加持，他不一定是地藏王菩薩，或者你夢到有一個人跟你說都可以，他無數億化身，有些事情你求了之後，也不很明顯，冥冥之中這件事情就沒有了，這都算是感應。

在使用占察輪相的時候，只要禮拜完了，念了一千聲地藏王菩薩聖號，占一次就成功了，有很多人占了多少次都不成功，那是你的心不至誠，在你求的時候，總是三心二意的，要是你能至心皈依，供養讚歎，你自然能得到感應。有時在睡夢中，有時在驚醒當中，你念著地藏王菩薩聖號，在屋子裏走或者你心裏有一種恐怖感，你一念，恐怖感就消失了，這就是感應。不過大家不要在世間相上比較。

《十輪經》所說的，拿文殊、普賢、彌勒、觀音，以他們爲上首，百千億恆河沙這麼多大菩薩，你供養讚歎了一百劫，你所求的願，或者圓滿了，或者沒有圓滿，你不如求地藏菩薩一食頃禮拜，這是佛獨讚地藏王菩薩的時候，所以舉這個例子，不要起分別心。如果你是修觀音法門的，當你聽到《地藏經》這麼一說，就把觀音法門擱下了來修這個法門，這是不對的。你修那個法，應當照那個修；學法學經要會學，不會學，你自己就成爲障礙。因爲這是講地藏王菩薩，他推崇地藏王菩薩，所以把地藏王菩薩抬得特別高，要是你跟觀世音菩薩特別有緣，你跟地藏王菩薩緣不這麼大，你把觀音法門放下了，不修觀音法門，改修地藏法門，修完了效果反不如以前，自己應當驗證你修哪一個法門的加持力大，你就修哪一法。

修地藏法門時，身心放下，至誠懇切的求他救護，在求的時候一定要至心，我們的生死輪轉痛苦沒有那麼逼迫，好像沒有那麼重，你要是這樣求，也有感應，只是感應的效果不大。前面一再說到，臨命終時，最後那一念間到了，效果大，因爲那個時候不同，應當好好的培護我們的信心，堅固我們的信心，求什麼都靈。在第十二品當中，釋迦牟尼跟觀世音菩薩說的特別多，爲什麼呢？前面釋迦牟尼佛就讚歎觀世音菩薩說，你跟這個世界的因緣，跟地藏王菩薩差不多，意思是，如果以你來護持，使衆生學地藏法門，感應就特別大，更好一些，因此佛跟觀世音菩薩說的就多一些。

「復次，觀世音菩薩！若未來世善男子、善女人於大乘經典深生珍重，發不思議心欲讀欲誦，縱遇明師，教視令熟，旋得旋忘，動經年月不能讀誦，是善男子等有宿業障，未得銷除，故於大乘經典無讀誦性，如是之人聞地藏菩薩名，見地藏菩薩像，具以本心，恭敬陳白，更以香華、衣服、飲食、一切玩具供養菩薩，以淨水一盞，經一日一夜安菩薩前，然後合掌請服，迴首向南，臨入口時，至心鄭重；服水既畢，愼五辛、酒肉、邪婬、妄語及諸殺害，一七日或三七日，是善男子、善女人於睡夢中，具見地藏菩薩現無邊身，於是人處授灌頂水，其人夢覺即獲聰明，應是經典一歷耳根，即當永記，更不忘失一句一偈。」

這就是沒有記性。對著經念叫「讀」，合上經本念叫「誦」，連讀都不能讀，當然不能誦。大家都是有善根有智慧的人，照著經本誰都能把《地藏經》念下來，是這樣子嗎？不是這樣。有些出家人出家好多年了，《地藏經》

念不下來，字是認得了，就是連不成句。如果是以前沒有受過教育，出了家還不認識字，在廟裡入門的時候就是一句一句的教；五堂功課，教一句念一句，教一句念一句背下來，這還談不到教別的經書。沒有讀書相的，你教他上句，他忘了下句，教了下句他忘了上句，這部經就是念不下來，這叫無讀誦性。

因爲他對大乘經典，佛所說的這些妙法，生起了珍重心，也願意發菩提心救護一切衆生，想讀是很不容易的。就像我個人在鼓山時聽《華嚴經》，我確實念不下來，《華嚴經》的句子，有二十四個字才一句的，連句點都不知道在那裡，經文特別長，就是念不下來，念不下來就聽不懂了。或者是以前你很熟悉，突然之間害個什麼病，結果全都忘了，就像印刷似的，你印完了把那個版一抹，什麼都沒有了。我們的腦子也是這樣，害一場病把過去的事情都忘了，就變成了白痴，有好多人得到這樣的病。

我們前生或是多生累劫，讀過佛經，今生一讀就會；若從來沒有讀過，今生讀起來就很困難；縱然是碰見再好的師父教你，雖然也看得懂，但是一下就忘了。「動經年月不能讀誦」，經年累月這部經都念不下來，什麼緣故呢？過去有宿業障，沒有智慧，被業障障住了，因爲這個業沒有消除，所以你就記不得大乘經典，沒有讀誦性。

另外有些人一讀就懂，不但懂還會背，像東晉時道安法師他就如此。他的像貌長得奇醜無比，出家的時候，他師父看他的像貌很醜，不大喜歡他，出了家就讓他出坡，我們出家人出坡就是到山坡上種地，打掃清潔，行堂，他做這些事，做了很久，看他的師兄弟們在廟裏學經，他也要求師父，教他念點經，師父看看他：「你這個樣子還念什麼經！」就給他一本很淺短的經，大概是《四十二章經》這一類的經。早上交他，他拿著書本就去種地了，種地都有休息的時候，讀一讀，晚上他又拿回來了，他說：「師父這部經文太少了。」「怎麼少了？」「你教我的都背下來了！」師父考考他，果眞背下來了，又給他一個長一點的經文，他出去，晚上照樣拿回來，還是背下來了，這個時候師父才開始注意他，曉得他不是一般的人。這種就叫宿世有大善根。

在當時的佛教界，道安法師是最了不得的，道安法師有過目成誦之才。

但是我們是笨人，沒有智慧怎麼辦呢？求菩薩！有什麼方法呢？《地藏經》告訴我們一個方法，這個人如果沒有讀誦的智慧，你去求地藏王菩薩，怎麼求呢？「如是之人聞地藏菩薩名、見地藏菩薩像，具以本心恭敬陳白。」用你自己的心陳白，也就是表白的意思，陳述你對大乘經不能讀誦的情形，天天向地藏王菩薩求，那麼地藏王菩薩一定加持你。你能夠眞心實意的至心誠懇的說：「我嚮往大乘經典，我想求智慧，求了智慧，我想利益衆生，讓業障銷除。」今生如果是讀大乘經，經過千百億恆河沙那麼多的劫，再也不忘失了，也就是業障消了，慧根生起了，大乘經典一歷耳根永不忘失，聞到一遍就記得住。

另外，還要準備點香或者華（花），或者衣服、飲食、珍玩、玩具都可以，供養地藏王菩薩，以至誠心，頂禮、禮拜、供養，這些都做了；再準備一碗淨水，供養地藏王菩薩像前，今天早晨供上，明天早晨喝的時候一定面向南方。你可別用供杯喝，因爲你第二天還要供，你要預備兩個杯子，今天早晨你起來洗完臉，先燒碗水供菩薩，以後再做其他的事情。第二天早晨洗完臉了漱完口了，把昨天供的水倒到另外一個杯子，再供上一杯，連續七天。因爲一天的效果恐怕不見得好，但一定要以至誠懇切心，經一日一夜安菩薩像前，然後合掌請佛，合起掌以愼重的心把這地藏水請下來喝。面對南方，因爲地藏王菩薩是從南方世界來的，面對南方就等於面對地藏王菩薩，如果你分不出南北東西，你面對地藏像也可以。至心鄭重的把這件事當大事情，如果你要想銷除宿業障，開大智慧，得鄭重其事才行，隨隨便便輕心慢心是不行的，這就表示你的一心，恭恭敬敬把這個水請地藏王菩薩加持喝著，這叫什麼呢？這叫慧水。

水都是表智慧的，一般來說水表情感，智慧翻過來就是情感。我們說煩惱，煩惱即菩提，煩惱就是情，情重的心遇事就流眼淚；女性比男性的情重，女性就愛流眼淚，上火的事發脾氣，怒就容易上火，上火就往上衝，不是往下墜，水就是往下墜，在江爲江水，在河爲河水，在井爲井水。水都是表智慧的，他能夠洗污濁，什麼衣服髒了得用水洗，我們喝這杯智慧水下去，把我們腸胃的垢染洗除，生長智慧，把這個水變成清淨功德水。爲什麼作佛事時要灑淨？那是用觀世音菩薩大悲水，把道場或場所變成清淨的意思。地藏王菩薩說的這個水，則是專門增加智慧的水。

「一日一夜」表示制心一處的意思。心要至心，要誠誠懇懇的，喝完之後，要「愼五辛酒肉邪淫妄語及諸殺害」，供水，或者供一個七天，三個七天；或者供一次服完了水之後，那麼一定得做到這麼幾件事，不能吃蔥蒜，還有韭菜類的。吃了蔥蒜，容易起瞋恨心，一定要謹愼；不能吃酒，不能吃肉，除了夫婦正當的性關係之外不要亂搞。還有不殺害，所謂殺害包括殺畜生都在內，什麼殺害都不可以，能夠這樣子七天或者三七天，你的智慧就開了，你念經就開智慧，或者記憶力增強了。

我是求過地藏水的，有沒有效果呢？效果是有，怎麼樣開大智慧倒是沒有，因爲我曾經中斷好幾十年，好多經文都記不得了。後來我就求地藏水，求完了確實又能把以前的恢復了，這就是加持力。如果這幾件事都能做得清淨，大智慧還是會開的。

「是善男子、善女人於睡夢中具足地藏菩薩現無邊身，於是人處受灌頂水，其人夢覺即獲聰明，應是經典，一歷耳根即當永記，更不忘失　句一偈。」這是獲得了智慧，怎麼獲得呢？就是這個供水的人，不論是善男子、善女人他能夠在夢中得到地藏王菩薩的加持。

在五部大律當中的《善見律》裏說，夢有四種，第一種是地水火風四大不調，身心不調了，會常做夢。第二種是先見夢，過去看事物的影子反應出來了做夢。第三種是天人夢，有天人加持你，或者人跟人之間的往還。第四種是夢想，我們不是常打妄想嗎？妄想容易化成一種夢境，化成一種幻境。

這四種夢當中，四大不調就是你睡覺的時候夢見山崩，河水暴漲，或者你飛騰虛空，這些都是四大不調所得的夢。或者夢見碰到了虎狼獅子，有這些危難，都是四大不調的夢。這些夢都是假的，有的是過去多生的，有的是白天見的，黑夜就做夢了。白天看見一件事，晚上就做夢了，這種夢就叫先見的夢，這都是假的。凡是夢都不是眞的。天人夢，或者因爲善知識，或者是過去你的眷屬生天的，跟他有特別因緣，他給你現這個善夢；因此你得善果或者使你生警覺心，這叫天人夢。這種夢很少出現，得這種夢要有善根的，或者你由讀誦的大乘經反應出來的；或者你一心向善，天天讀經，容易有這種夢，令人得善的。如果碰見惡知識，他教了你很多的惡事，你也做了，但是在白天警覺的時候，你並不能分別是善是惡，但等你做夢時就反應出來了，這也叫天人夢。

跟人交往，有善知識有惡知識，惡知識教你做的是惡事，這個不是夢；雖然是在夢裏頭的，但這個天人夢是眞實的；因爲這個夢會感果。夢見善知識在夢中教化你，或者惡知識反應的，這種夢是現實的，所謂現實者就是感果的。

想夢就不同了，或者你前生有福德，或者前生有罪惡有罪障，反應到你的思想當中，這個想是指你八識裏的第七識，我執傳送到你的夢境當中，在夢中現，這叫想夢。

這段經文所說的夢就屬於天人夢，也就是地藏王菩薩現無邊身，無邊身不一定是現人相也不一定現天相；也不一定現鬼神相，乃至於現一切動物相，反正是使你得到利益。天人，善知識會現無邊身的相，或給你灌頂。灌頂在密宗儀式中可以看到，那是隨順世間法的，原不是佛教本身的法。在印度，國王叫灌頂王，根據印度的說法，凡是太子繼承王位的時候就要舉行灌頂；就像現在舉行的加冕禮，就是灌頂的意思。這是受灌頂水，用這個水灌在你頭上代表給你智慧，取這個形容詞。這個人夢一醒了，就聰明了。「經典一歷耳根即當永記，更不忘失一句一偈」，那就是得到大智慧，就是如你所求的，能夠有讀誦性，能夠有記憶力，所以在早晨供上一杯水，第二天早晨去喝，手續一定要記清楚。如果你想開智慧想供水，杯子一定要乾淨，早晨起來第一件事就是洗完臉之後，清淨完了之後供水，供完了第二天早晨還是這個時間才能喝，喝完了一定要做到不吃葷、腥、酒肉、邪淫妄語，還要不吃蔥、韭、蒜，這樣做到了，才能得到效果。

假使你有病求病好，你在夢中或者夢見菩薩現身，現什麼身不一定，你就感覺清淨了，病就消失了，還有所求的能夠達到。你也可以用「占察輪」，念一千聲地藏王菩薩聖號，之後拿「占察輪」占察，看你所求的能不能夠如意，如果所求的不能夠滿足，就再懺罪再求。

其他的經並沒有這樣說，爲什麼說求地藏王菩薩效果比較好呢？地藏王菩薩加持我們是很入微的，即便是很細微的事情，經上都給你說出來，其他的經沒有說得這麼詳細。現在我們說的是修行，其實你聽哪部經都是修行，你學哪部經，哪部經就告訴你怎麼修，我們都想開智慧，地藏王菩薩說得很清楚，你想開智慧很簡單，你早晨起來供上一杯水，供點香，供點香花，第二天早晨你可以再點上一枝香，或者玩具，什麼東西都可以供養，完了發願，你要是這樣修就開智慧了。

修行的方法很簡單，就這幾樣事情，有些人感覺這幾樣事情不困難，但是對有些人確實很困難，不發心還可以，他發心供水這一天，天天有人請他客，又是吃葷，一吃葷他就得不到了；不去又怕生意做不成，又怕事情給砸鍋了，反正總是不如意。當你沒有發心的時候沒有事情，一發心，障礙都來了。

還有說瞎話妄語，這個很難治，所以這幾件事必須能做得徹底清淨，確實能得到加持，修行就這樣修行，這是開智慧。大家想一想，如果你有記憶力的話，學英語簡直不費事，別人一天能記十句，你能記一百句，乃至記一千句，別人跟你說一千句話，一歷耳根永不忘了，你的語言三昧就得到了，語言的記憶力不是一般的。

爲什麼他沒有智慧呢？就是他有障礙，有障礙就是有業，如果這樣供水，一喝就能開智慧了，有的人感覺到這是不可靠的，因爲這件事太便宜了，太容易做到了，但是你詳細想，並不容易做到。你想七天當中不說假話很難，像出家人在山裏頭，這幾樣應該做得清淨，在山裏頭不殺生很難，山裏都是一個人，你不能不做飯，做飯燒柴，柴裏有蟲子，你燒火，你把它燒死了，你犯了殺生；你是無意不曉得，你要做法，把這個業免了。

有很多的事情看起很容易，做起來卻很難。所以修行很容易也很不容易，聽聽經很容易，但這裡面也有很多障礙。這一回你聽了，下回也許你聽不成，等到要聽經了，剛要出門，來個朋友有要緊事跟你一說，你就回去了，就聽不成了，好事多磨，障礙多得很。

我們在三藩市經常的供水，也求開智慧，也是喝，但感覺說瞎話特別難。

所謂說瞎話不是存心有意欺騙人家，妄語包括很多，妄言、兩舌、綺語、惡口，綺語最難持的；有些弟子或有些道友來了，隨便談談，談些跟修行無關的話，盡說他家庭的事或看見世俗的事，這法師陪著他說綺語，沒有什麼意思，說這件事作什麼呢？但是能不能讓那些到這裡來的道友盡說修道事？常接近我的道友，你們想一想，你們是不是到我這裡來了，沒有說綺語？好多都是跟修道跟戒定慧完全不相干，這就是綺語，有沒有犯嗎？很容易犯。

我跟宏覺法師兩人不說綺語都很不容易，一天當中每句話都在道上很不容易，怎麼辦呢？不說話，少說話，說話的時候先考慮好。爲什麼要閉關，打七，就是防備說綺語。你來了我不見你，電話我不接，就行了，一天當中就是修行，修個三七天，就差不多，三七天之後就算你沒有開這樣的智慧，自己也感覺不同了。

前幾天有位弟子跟我說，他說他七個七念《地藏經》圓滿了，他自己就感覺跟以前不同。如果這七七四十九天當中都像經上所說的這樣做，不需要七七四十九日，三個七的就行了。如果沒有，是在這個修行當中還有許多不如法的地方。

我們這裡說的是事，不是理，要是講理，我們在理上所犯的錯誤就多了，有些事我們做不到。像灑淨，那個屋子裏頭能讓他結界修行，這個道場時候做得很清淨，這個不可能，這裏頭還有很多的，那就更深入了。但是地藏王菩薩在《地藏經》上對我們的要求並不怎麼深，你供養一杯水，第二天早晨把它喝了，完了你應該做到那些事，這不是很簡單！可是我們連最簡單的修行都做不到。

「復次，觀世音菩薩，若未來世有諸人等衣食不足，求者乖願，或多病疾或多凶衰，家宅不安眷屬分散，或諸橫事多來忤身，睡夢之間，多有驚怖。如是人等，聞地藏名見地藏形，至心恭敬，念滿萬遍。是諸不如意事，漸漸消滅，即得安樂，衣食豐溢，乃至於睡夢中悉皆安樂。」

這個裏面包括很多事，這些事都是惡相，我們想念地藏王菩薩的名號比供水還簡單，念念名字就能把這些惡事情轉變成善事。佛又跟觀世音菩薩說，地藏王菩薩還有些功德，可以滿眾生的願；未來世中，末法眾生苦難很多，那些人或者沒有衣服穿，沒有飲食吃，衣食不足饑寒交迫，現實環境跟他的心願都是相違背的。不說別的事，像在美國打工，憑勞力掙錢，也不是那麼稱心所願，來時沒有綠卡，還是黑戶，人家工作八個小時拿的錢比你工作十五個小時還多，這都是所願不遂。「求者乖願」，乖是乖違的意思，跟你的願你的心，你所要求的兩個不一樣。在末法的時候疾病又多，不是腦殼痛，就是肚子痛，很多的怪毛病，有時候醫生看不出來。

「眷屬分散」，有的親人在台灣，你自己到這裡來，有的還有在大陸上，有的來了六、七年拿不到綠卡，家庭不能夠團圓，這就是眷屬分散了。橫事包括太多了，橫事也是不如意的事，不曉得怎麼出了問題，這都叫橫事。「忤」者就是擾亂你的身心。還有睡覺的時候害怕，盡做恐怖夢，睡著了就做恐怖夢。應當知道貧窮就跟地獄差不多，貧困的生活，生不如死，想死又死不了，他有多種因緣牽扯著，死又死不下去，活又活不成。還有一種，以前過慣了富貴的生活，突然之間垮了，像股票一跌，從一萬二千點跌到兩千多點，很多人傾家蕩產一下賠了，以前的富裕日子過慣了，一下子窮下來是最苦惱的事情。還有一種人處處都不如意，幹什麼都不遂心。「求者乖願」，總是事與願違，總是碰到兇險的事、衰敗的事。二十多歲本來很英俊很美麗的，害了一場病，相貌都變了，都衰敗了。還有，以前人家看見你都很尊敬的，一旦你的運氣消失了，福報一過去，本來對你很好的，六親都很和睦的，突然之間變了，連六親都不和睦了，這種現象很多人都經歷過的。

所以古來說：「黃金寶馬財色心，不是親來也是親，一場馬死黃金盡，親者不如陌路人。」六親眷屬都是看著財富的關係，生活環境的關係，等到你財富一去了，還不如路人，爲什麼？路人看你，他也不防備你，跟你沒有關係，你走你的路，他走他的路。親人可不行了，等你倒霉了，人衰敗了，你要是再見他，他離得遠遠的，看見你從那條街來了，他岔去另一條街，怕你跟他借錢，跟他求，這是形容衰敗的。衰跟凶，凶跟橫差不多，這都是說一些災難的事情。

「如是人等」，像這種人怎麼辦呢？「聞地藏名見地藏形」，聽到別人念地藏王菩薩的聖號，或者看見一尊像，知道這是地藏王菩薩。面對地藏像跟觀音像，能至心恭敬。要誠誠懇懇恭恭敬敬的，磕頭禮拜，念滿萬遍念一萬聲，這麼多不如意的事情，念一萬聲地藏王菩薩聖號，就能夠轉變。「至心恭敬念滿萬遍，是諸不如意事漸漸消滅。」這個很靈，特別是小孩子念觀世音菩薩、念地藏王菩薩特別靈，小孩子考試的時候怕考不上，要升學的時候擔心升不上，我就叫他們念了，他心裡也至誠，他因為想達到考試的目的，這一念就考上了。

除了一個至誠心，只念地藏王菩薩一萬遍，念完一萬遍換來什麼情況呢？你前面的貧窮困難一切災害都解決了，起碼能解決一個問題，睡覺絕對不會做惡夢，這是千眞萬確的。如果在臨睡眠的時候，你坐在那裡念一千聲，念完了倒頭就睡，絕不會做惡夢。「如是人等」，能夠念一萬遍地藏王菩薩聖號，那些不如意事情漸漸就會消滅了，從痛苦當中就變成安樂了，再不憂愁，衣食豐溢。

這個靈不靈？我也試驗過，好多年前了我也持懷疑態度說，這件事太容易，念了一萬聲地藏王菩薩聖號這些事情就會轉好，衣食不足，或做生意很不發財，漸漸就好了，怎麼可能？但是確實是改觀了。在北京有個賣柴米油鹽醬醋茶的一個小舖子，這種生意本來發不了什麼財的，能夠溫飽就不錯了。但是只靠這個舖子不夠，夫婦倆人還有一個小孩念書，那時我們的廟在他前面，他問說能有什麼法子不受凍餒之憂啊？我說：「有！你肯信就有，你念觀世音菩薩、地藏王菩薩、念阿彌陀佛都行，念一個名號，你漸漸就會好了！」他信我的，他們一家子連那個小孩都念。隔了好幾年，我從福建回北京的時候，看見那間小舖子開大了。他說，自從他念了之後，他的醬油醋一天賣的很多，就像濟公顯神通似的，客人本來不想買，走到門口也打點醬油回去，這是不可思議的，要說出個道理我說不出來，但是他確實好了。

我們和尚對這些問題就是淨信堅固，沒有淨信絕對辦不到；修廟跑到外頭去化緣，我感覺這不是辦法。在家裏面對著地藏像拜，你不是想修廟嗎？你就拜，拜觀音菩薩拜地藏菩薩像，有人會送錢到你這裡來。我師公修廟就這麼修的，人家都叫他老修行。他在北京城一個城郊的地方，自己一個人，連吃飯都沒有得吃的，要修那間大廟，設想的很好，怎麼辦呢？他就拜佛。沒有別的辦法，他沒有讀過書，出家之後只曉得修行，也不會做佛事，做佛事還得敲引磬，他完全不會。他在家拜佛，就碰見北京城裏一位姓周的老先生，很有名望的人，有一天他經過這裡，心血一動就進這間廟看一看，一看，他發了大心了，就替他當施主，到處化緣，就把這間廟修起來了，我師公連這間廟都沒有離開，就修了廟。

還有〈影塵回憶錄〉裡，倓虛老法師在東北修了那麼多大廟，朱子橋老將軍就替他化緣，朱子橋化緣化到朋友都不敢見他，躲在廁所不出來，他就坐在客廳不走，非化不可，對他朋友說：「你在廁所待得太臭了，出來吧，我給你香的。」把他叫了出來，化了他五十個大洋，在那時候是很不容易的。

修廟求財富也好，或你要想發財，你就在家裏念觀世音菩薩或念地藏王菩薩，你坐那裡什麼都不幹，念七天看看，說菩薩你再不加持我，我就要餓死了，坐屋裡念觀世音菩薩念地藏王菩薩，會改觀的。如果我們大家都念，制止中東的戰爭不要發生，你得有這個信心，我們大家都念，就憑我們現在學《地藏經》的這些人，也不要太多，有這麼三、五十個人念，大家天天都念迴向，如果有堅固的淨信心，他們就打不起來。反正七錯八錯的打不起來，我們的業力超過他的業力，我們念聖號的力量比那個力量強了；眾生業力大了，善業自然小了，發展不起來了；惡勢力強了，善的力量自然就沒有了。如果善的力量強了，惡的力量自然就沒有了，逐漸的消失了。把不快樂都轉成快樂，沒有衣食缺乏的情形，就豐溢了，乃至於睡覺都是快樂的。

這些地藏王菩薩都能加持得到，這是佛所說的，是佛跟觀世音菩薩說的。其實觀世音菩薩也是做這些事，觀世音菩薩是「千處祈求千處應，苦海常作度人舟」，其實地藏王菩薩比觀世音菩薩的願更大的，更有加持力的，地藏王菩薩本身很苦，別的菩薩示現的是大菩薩，瓔珞寶冠，地藏王菩薩現的是比丘身，什麼都沒有，但他的加持力相當大，所以我們應當生堅固淨信。

「復次，觀世音菩薩！若未來世有善男子、善女人或因治生、或因公私、或因生死、或因急事，入山林中，過渡河海乃及大水，或經險道，是人先當念地藏菩薩名萬遍，所過土地鬼神衛護，行住坐臥永保安樂，乃至逢於虎狼師子，一切毒害不能損之。」

「若未來世有善男子、善女人，或因治生」，治生就是從事生活上的事物，我們活著總要做些事情，建造一些生活上的事，這叫治生。「或因公私」，或者因公因私要出門，或者派你出差，或者明明知道到戰場上說不定要死，但是你當了兵，就必須去，這是因公。或者你爲了發財冒險，人說做賊，當強盜也不容易，強盜也是拿生命去換，逮到就被槍斃，搶到就是我的了。

世間上的物質總是有限的，我得多了，別人就得少了。要是治生，或者是急事入山林中，或者過渡河海，或是經過險道，這都是不安全的。所以走到山林河海都是很危險的，現在交通方便了，但是也很危險，開汽車怕撞車，飛機也常出空難。怕有這個危難你就念一萬聲地藏王菩薩，可以保一半的險，念得誠懇了完全保險；念得不誠懇保一半，就看你的用功如何了。

凡是屬於險難的，念了就化險爲夷。假使說險難一發生你就念，可以使你轉危爲安，化險爲夷，這個有好處的。如果說本來就沒有災難，你念了更增加快樂。這裡所說的事情就是你一天的生活當中所必須經過的事情，爲了生活你得做事業，或給人打工也得要做，自己的財產你得經營，有時候體力腦力都要動，有時只動腦力不動體力，但是要拿錢當資本。替大家服務的做一些事情，這就叫公。無論在哪個國家，當公職的，替大家做事情的也叫公，爲自己籌畫的就叫私。人在生死存亡的關頭總想有位救護者，這位救護者就是地藏菩薩，你要想有位救護者，你就求求地藏王菩薩，他能夠救護你。

總之，在一切痛苦厄難的環境當中，你應當念一萬聲地藏王菩薩，那麼你所經過的土地有鬼神保護，別人有危難你沒有事，行住坐臥永保安樂，黑夜睡覺有時也有危險，如果正在睡覺時心臟病發作，就死了。在睡覺時還有很多種病，有飛天攝人精魂，就在你睡覺當中把你攝走了，使你的魂再不能歸體了，但是你有事先的防備，念一萬聲地藏王菩薩，乃至於遇到老虎，獅子，一切毒獸，都不能傷害到你，毒獸見到你自然會走開，這種事很多。

我在上房山住的時候，有一天一條很粗的蛇不知怎麼出來了，橫在山路上。我跟貫一法師倆個人正要回去，走到路上碰見牠了，牠的身上被太陽光照就像龍似的，全身閃閃發光，我們在很遠的地方就被射到，他：「說怎麼辦？」我說：「跑都跑不了，我們沒牠得快！」我說：「我們就這麼走，過去吧！」他說：「過不去！他橫在路上，在牠身上過不去。」我們倆人就念聖號，我就跟牠說：「你走開，我們不傷害你，你也別傷害我們！」我們倆人就這麼念聖號，牠就走了。

住監獄，受王法繫縛，你要是念了一萬聲地藏王菩薩聖號，你永遠看不到，連看都看不到，更不用說身受了，個別的業又不同了，但這是普遍說的。

一切末法衆生誰要是感覺不安全，沒有安全感，你就念一萬聲地藏王菩薩聖號好了，也不必讓人家知道，你自己心裏默念；別人遇到的危險，你遇不到，平平安安的過一生；但是不要貪名，不要求利，平平安安修道，爲一切未來做準備。

以前蘇東坡他生個兒子，給兒子做了一首詩，我對這首詩有點意見，所以記得很清楚。他說：「人皆生子望聰明」，不論誰生小孩希望這小孩長大聰明伶俐。「我被聰明誤一生」，我就是因爲太聰明了，所以誤了一生。「但願吾兒愚且魯」，但願這個小孩又糊塗又傻，又愚癡又魯，魯是沒有知識，粗魯的意思。「無災無害到公卿」，這句話我反對，愚且魯，好好的修行，念念佛了生死，就算了，「無災無害到公卿」，那有這麼便宜的事。還想要做官，他自己就是當官受了罪，一下貶這一下貶那，還讓他兒子做官。

所以如果大家想行住坐臥永保安樂，念一萬聲地藏王菩薩聖號，現在你念適中的話，兩個多鐘頭，快點一個半鐘頭，再慢一點三個鐘頭，念一個數一個，念快一點，就「地藏菩薩」四個字。如果再尊敬一點就念「南無地藏王菩薩」，這樣子十分鐘念九百聲，我念得慢，五分鐘三百。我最近天天測驗看能念到好多，念的時候要尊敬，慢一點的就念「南無地藏王菩薩」，嘴裏這麼念，心裏想地藏王菩薩就在我頭頂上。口裏念、心裏想、身體在這裡經行，走完了之後，看走幾圈念一串或者看看念完一串要多少分鐘，念一串以後你不用念珠都可以了，這就是時間，時間就是數字，總是這個速度也不用計數了，我兩個鐘頭下去準念好多聲。

念一萬聲「地藏王菩薩」免這個災難，我們要想求成佛，豈止是免災難，我們念十萬聲，十萬聲比一萬聲多，念一百萬聲，那就什麼災難都免了。但是這個要靜下來好好修行，你自己證實一下，不然你聽完了自己沒有把握，只是聽我說的，經本上說的，眞的假的，你試驗一下。比如說那個菜館的菜好吃，你到他那買一樣吃一吃，你才知道，光登廣告不行，登廣告不見得是眞的。我們這個講演也是做宣傳，我勸你們信，沒有用處，效果低，你自己念完了之後，你得到實際好處了，那是眞實的。

我們往往對佛經上的這些修行方法都不求實證，聽一聽就完了，我們要學就要照佛那樣做，你要是做了，你也就是佛。我們念地藏王菩薩聖號就能做得到，這個道理我跟大家講過好多次，你念地藏王菩薩就迴光返照，假他的外力影響你自己的心力，使你自己那個清明的不糊塗的心顯現出來，就是這個目的。

「佛告觀世音菩薩：是地藏菩薩於閻浮提有大因緣，若說於諸眾生見聞利益等事，百千劫中說不能盡。是故，觀世音！汝以神力流布是經，令娑婆世界眾生，百千萬劫永受安樂。

爾時，世尊而説偈言：

吾觀地藏威神力，恒河沙劫説難盡，
見聞瞻禮一念間，利益人天無量事。
若男若女若龍神，報盡應當墮惡道，
至心歸依大士身，壽命轉增除罪障。
少失父母恩愛者，未知魂神在何趣，
兄弟姊妹及諸親，生長以來皆不識。
或塑或畫大士身，悲戀瞻禮不暫捨，
三七日中念其名，菩薩當現無邊體。
示其眷屬所生界，縱墮惡趣尋出離，
若能不退是初心，即獲摩頂受聖記。
欲修無上菩提者，乃至出離三界苦，
是人既發大悲心，先當瞻禮大士像，

一切諸願速成就，永無業障能遮止。
有人發心念經典，欲度群迷超彼岸，
雖立是願不思議，旋讀旋忘多廢失，
斯人有業障惑故，於大乘經不能記。
供養地藏以香華，衣服飲食諸玩具，
以淨水安大士前，一日一夜求服之。
發殷重心慎五辛，酒肉邪淫及妄語，
三七日內勿殺害，至心思念大士名。
即於夢中見無邊，覺來便得利根耳，
應是經教歷耳聞，千萬生中永不忘，
以是大士不思議，能使斯人獲此慧。
貧窮眾生及疾病，家宅凶衰眷屬離，
睡夢之中悉不安，求者乖違無稱遂，
至心瞻禮地藏像，一切惡事皆消滅，

至於夢中盡得安，　衣食豐饒神鬼護。」

這一品是見聞利益，把見了地藏王菩薩，聞了地藏王菩薩的名，見了這部經或者見了地藏像的功德，講上百千劫都說不完。跟誰說呢？跟觀世音菩薩說的，因爲是觀世音菩薩請佛說地藏王菩薩對閻浮提利益衆生的事，佛就告訴他了。最後總結說，地藏王菩薩對閻浮提因緣深厚，他利益衆生事業的功德，百千劫都說不完。除了以上說的這麼多，以下的偈誦還要重複一次，普賢、文殊、觀音、彌勒的聖號，如是等大菩薩有百恆河沙數之多，都不如一食頃恭敬禮讚地藏王菩薩。

《大乘大集十輪經》也說，我們念一天地藏聖號的功德勝於念俱胝億劫，俱胝就是阿僧祇，俱胝就是無量數，億劫就是最長的，都不如念一日的地藏功德，稱這麼多大菩薩的名號都不能相比，這是顯什麼呢？因爲《地藏經》說的是地藏王菩薩的功德，而且前面每一品都說，我們如果能夠見聞就永遠脫離三塗，再不墮畜生、餓鬼、地獄。因此這都是稱讚地藏王菩薩的功德。

這一品是觀世音菩薩請佛說，所以佛都是對著觀世音菩薩說的，觀世音菩薩也就如是的護持這部經。如果我們念觀世音菩薩也就等於念地藏王菩薩，我們不起這個分別心，念地藏王菩薩，就感激觀世音菩薩的護持。因爲我們念觀世音菩薩，觀世音菩薩能使我們聞到《地藏經》，見到地藏王菩薩形像。

但是凡是有大菩薩的地方很少有地藏王菩薩，在密宗當中，受地藏王菩薩灌頂的少，因爲喇嘛上師說，地藏王菩薩只在漢族因緣深厚，我對這種說法不大同意。南閻浮提的種族太多了，地藏王菩薩豈止對漢人的因緣深厚，是南閻浮提特別深厚，因此釋迦牟尼佛讚歎說完地藏王菩薩的功德之後，又囑咐觀世音菩薩，因爲地藏王菩薩有這麼多利益衆生的功德，不可思議，所以你應當以你的神力，也就是以觀世音菩薩的神力來弘揚這部《地藏經》，使這部經廣宣流布。因爲這部經能夠令娑婆世界的衆生，百千萬劫永遠享受安樂；這種安樂就不只是離開三塗，做人的時候少憂惱，不被貧窮病苦逼迫，永遠得安樂。

以下的偈誦是恐怕有衆生來參加法會，來晚了沒有聽到，佛又用偈誦的方式重覆一次，以下就說偈子。偈誦在佛經裏全部不一樣的，有八個字一句，也有七個字的，我們這裡說的都是七個字，長行說完了，再重覆一遍，這叫重誦。如果前面沒有長行，一開始就用偈誦體說，這叫孤起誦，就是沒有前文，提了種種的偈誦題材，這就叫孤起誦。

現在講的偈誦是重誦的，因爲佛恐怕衆生不注意，所以再重誦一下，也恐怕觀世音菩薩沒有聽清楚，因爲這個法門是對觀世音菩薩說的，所以「爾時世尊而說偈言，吾觀地藏威神力，恆河沙劫說難盡，見聞瞻禮一念間，利益人天無量事。」要是把地藏王菩薩利益人天的事情說一說，無量劫也說不完。這個讚誦體材跟前面長行的意思是一樣的。

佛說我用佛眼觀看地藏王菩薩威神的力量有好多？恆河沙劫都說不完。佛說法常用印度的恆河作比喻，恆河跟長江差不多，但是沙粒不同，長江的沙粒大，印度恆河的沙子，像麵粉似的，沙很細，分不出個數來。像數千里這樣一條河的沙子，把這一顆沙粒做一劫，要把這個恆河沙一粒做一劫，時間是無法數的。這是說地藏王菩薩威神力，以佛的智慧來宣揚，這麼長的時間都說不完。好多的功德，做了好多的事，衆生只要見一下地藏菩薩，給地藏王菩薩頂個禮，就這一念間的功德利益也說不完，這麼長劫都說不完，見聞瞻禮一念間的利益也說不完。

「欲修無上菩提者，乃至出離三界苦，是人既發大悲心，先當瞻禮大士像，一切諸願速成就，永無業障能遮止。」這一共是六句，六句就叫一偈半，這個一偈半說的是，瞻禮地藏王菩薩就能成就衆生，滿足衆生的願。因爲這是地藏王菩薩所發的願，我們一般認爲他只是度地獄，地獄不空誓不成佛，其實並不是只在地獄度。

有人問我說：「地藏王菩薩在地獄裏度衆生，地藏王菩薩住哪？還度不度人間？」地藏王菩薩發的願是地獄不空誓不成佛，並不是說他永遠在地獄裏度衆生，人間就不度了，天上也不度了，並不是這個意思，這樣理解就錯了。你在人間造業，在天上造業，福報享盡了，還是要下地獄。他是說把你的罪業度清淨了，你就不再下地獄了，那就再沒有下地獄的衆生了，是這個意思，並不是地藏王菩薩總在地獄裏頭。他到人間來也是住到人間，佛在忉利天說法，地藏王菩薩就住在忉利天。

在《占察善惡業報經》的下卷，地藏王菩薩住在什麼地方？住在每一個境界，修的是二種觀行，他終日度衆生，並沒有執著衆生相，這個說的都是按衆生分別心而說的。眞正到地獄裏的衆生，哪有福德去見地藏王菩薩呢？已經墮到地獄了，連地藏名字都聽不見，哪還看得到《地藏經》。地獄就是無暇，他受的痛苦一分鐘一秒鐘接續的發生，一點閒暇時間都沒有，又怎麼能見到地藏王菩薩呢？地藏王菩薩無處不在。現在我們這個會中就有地藏王菩薩，你信嗎？有時是可相見的，但你見到也不認識，你知道我們哪一位是地藏王菩薩化身？無處不在，要體會這種法界相。

所以你要是想修無上的菩提，就是發了菩提心想成佛，乃至於我發的心就是出離三界苦，脫離生死苦就行了。有時我們發願，願心很小，佛給我增一點智慧就行了。像小道友就增長一點智慧，考試能考優等就行了，他沒有特別的大願心。像我們受苦，很痛苦了，也就是求地藏王菩薩免除現時的痛苦，哪還有成佛的心，脫離生死？並不是大家都發這個心的。

有人發心再也別受生死苦，永斷三界，不要在欲界色界無色界流轉了，發這個心的很少。不過以我自己的經驗，大多數的人，或者家庭有什麼困難，他的父母過去了，求佛菩薩加被，求地藏王菩薩加被超度，就是沒有一個人像我說的：「我要離三界了，我求地藏王菩薩加持我！」我還沒有碰到，乃至於說我要成佛。所以瞻禮地藏王菩薩，讀誦《地藏經》，我不求現世福利也不求未來福利，也不求人天乘，也不求二乘，也不求權教菩薩，我求的是發大菩提心，增大菩提果，直至成佛，有沒有人這樣求的？所以我們要發一個出離三界苦，究竟證菩提的心，這樣才能徹底的解決問題，就像《占察善惡業報經》，我想要達到「一實境界」，就要修二種觀行，這樣才是發大心的衆生。

是人既發大悲心，要是發了大悲心，要想成佛怎麼辦呢？有一個方法就是禮地藏王菩薩，「先當瞻禮大士像」。你要想成佛，想離三界痛苦，也想讓一切衆生都成佛，讓一切衆生都離三界痛苦，這個心是大悲心。我們有時候爲了自己離苦得樂，算不算大悲心呢？這個太狹隘了，只爲自己就是狹隘，隨時隨地想到一切衆生，想救一切衆生的苦難，這才叫大悲心，才是菩提。

用什麼方法可以達到呢？頂禮地藏王菩薩，稱地藏王菩薩聖號，念〈地藏經〉就可以了，專修地藏法門，因爲地藏王菩薩發的願能夠滿足一切衆生的願，你要是有一切願一切諸願，那麼地藏王菩薩就加持你維護你，使你速得成就，不被業障障礙束縛，不被遮止，使你達到目的成佛，出三界、了生死都能做到，你求一點人天的福報，得一點人天現實的利益，還得不到嗎？一定能夠得到。

但是有一種情形就得不到，你不信得不到，或者你信心不具足得不到，一定要至心至誠懇切的信。我們往往因爲這種方便的情況反而使我們信心不具足，感覺這樣太方便了，或是太淺顯了，總想究竟一點，或深奧一點，或秘密一點不是更有成就？念一聲地藏王菩薩，禮地藏王菩薩就能夠成佛，太容易了，信心不具足！信心不具足，你得到的利益非常的小，建立在信心上，地藏王菩薩能使你一切諸願都能成就。佛不會打妄語的，而且這是佛對觀世音菩薩說的，讓觀世音菩薩利益衆生的時候宣揚地藏王菩薩，讓一切衆生稱地藏王菩薩聖號，能夠發起大慈大悲的心，能夠利益衆生。

這樣念地藏王菩薩，就是念你自性的地藏王菩薩，這種大悲心就是「一實境界」裏發的眞心，因爲這個心把你含藏的無漏性功德都顯現了，因爲你就是地藏王菩薩，大家一定要有這個信心，乃至於你所救的一切衆生，一切衆生都跟地藏王菩薩無二無別的，跟釋迦牟尼佛無二無別的，跟毘盧遮那佛、大日如來，一切諸佛無二無別的。無二無別的就是沒有兩樣，「一實境界」只有「一」沒有「多」，乃至於「一」都是多餘安立的，「一」是對著妄而安立的。

「有人發心念經典，欲度群迷超彼岸，雖立是願不思議，旋讀旋忘多廢失，斯人有業障惑故，於大乘經不能記，供養地藏以香華、衣服、飲食、諸玩具，以淨水安立大士前，一日一夜求服之，發殷重心愼五辛，酒肉邪淫及妄語，三七日內勿殺害，至心思念大士名，即於夢中見無邊，覺來便得利根耳，應是經教歷耳聞，千萬生中永不忘，以是大士不思議，能使斯人獲此慧。」這一共是五個偈子，四五二十句，這五個偈子是說你想現在得到智慧，能夠有記慧，讀經就能記住，另外有了智慧了，才能相信得及，你希望不被惑染，不被其他的境界所迷惑，必須得有智慧；如果智慧不具足，容易被現象所迷惑，也就是你信的不眞誠。有人要想發心念經，不只是《地藏經》，也包括一切的大乘經典。爲什麼要發心念經呢？想度一切衆生，想把一切衆生，都度到成佛。

彼岸就是成佛，此岸者就是苦惱，成佛就是究竟快樂，我們念般若波羅蜜多就是到彼岸，從苦海此岸到涅槃彼岸，靠什麼呢？得靠智慧。智慧是怎麼來的呢？「一實境界、二種觀行」就是修毘婆舍那，因爲修觀，你的智慧就能生得起，觀什麼呢？不要多，觀地藏王菩薩就行了。這部經推崇地藏王菩薩，要怎樣觀呢？每天早晨你心裏清清淨淨的，漱完口了洗完臉了，其他的事情不要做，燒完開水供了佛，地藏王菩薩面前供一杯水，到了明大清晨把這杯水喝了。在這中間讓你做幾件事，三個七不要殺害衆生，包括吃肉，吃肉者也就是吃衆生肉，不要再說瞎話，不要飲酒，不要邪淫，這幾件事一定要做到。妄語要特別注意，父母對子女千萬莫說一句瞎話，要說眞實的話，如果你三七天都能做到，就能感應到地藏王菩薩在夢中現身，或者灌頂加持，他現無邊身，不一定現菩薩相或者來了這麼一個人，跟你說都算是。

「有人發心念經典，欲度群迷起彼岸，雖立是願不思議，旋讀旋忘多廢失，斯人有業障惑故，於大乘經不能記。」一共六句，這六句是一偈半，這是說什麼呢？剛才我說了，我過去做什麼，雖然不知道，但是從你沒有這個智慧就可以知道，你有宿業障，根基很鈍，人家一聽就會，爲什麼你不會？例如別人念《地藏經》，有的念四十五分鐘，有的念一個小時，爲什麼你要念一個半小時，爲什麼別人聽了經能懂你不懂，有的人要修行，有的不修行，爲什麼有這些差距？這跟宿業有關，這一個半偈誦是說鈍根的，鈍根就依著鈍根的方法去修行。

爲什麼說供養呢？因爲我們多生累劫來供養地藏王菩薩的事情也許做過，也許沒有做過，爲什麼說做過呢？因爲你現在又能夠見到地藏像，又聞到《地藏經》，你一定供養過地藏王菩薩；過去供養可能不夠深入，所以現在智慧不大；雖然智慧不大，但還沒有落到餓鬼、地獄、畜生；現在能夠做一個人，很不容易，而且是六根具全的人。什麼叫六根具全？眼耳鼻舌身意，沒有一根是壞的，不是瞎子不是瘸子不是跛子，都叫六根具全。意根就是神經失常。善根的大小就是你前生修的精進與不精進的關係，這裡教我們這麼一個修法，這個修法是開智慧的一個修法。

我們現在窮，想轉變成富有，也念地藏王菩薩，供養地藏王菩薩，持《地藏經》也能得到。以下兩個偈子是說能夠轉貧為富，「貧窮衆生及疾病，家宅凶衰眷屬離，睡夢之中悉不安，求者乖違無稱遂，至心瞻禮地藏像，一切惡事皆消滅，至於夢中盡得安，衣食豐饒神鬼護。」這兩個偈子就是兩種意思，一個要轉貧窮成為富有，一個要轉病苦成為快樂。現在我們修善因會得善果，這個善因是怎麼修呢？持誦禮拜地藏菩薩，就是你至誠懇切的瞻禮地藏王菩薩，能夠使你家宅不如意的事情，轉成如意，眷屬要分散的可以不分散。

「欲入山林及渡海，　毒惡禽獸及惡人，

惡神惡鬼并惡風，　一切諸難諸苦惱，
但當瞻禮及供養，　地藏菩薩大士像，
如是山林大海中，　應是諸惡皆消滅。
觀音至心聽吾說，　地藏無盡不思議，
百千萬劫說不周，　廣宣大士如是力，
地藏名字人若聞，　乃至見像瞻禮者，
香華衣服飲食奉，　供養百千受妙樂。
若能以此迴法界，　畢竟成佛超生死，
是故觀音汝當知，　普告恒沙諸國土。」

這偈子是說你不論是在水裏或陸地、空中，如果感覺有恐怖，只要念一萬聲地藏王菩薩聖號，這種恐怖心就會消失了。

「觀音至心聽吾說，地藏無盡不思議，百千萬劫說不周，廣宣大士如是力。」佛不但囑託一切衆生要至心，也囑託觀世音菩薩要至心。「百千萬劫說不周」，一百劫一千劫一萬劫想把地藏王菩薩不可思議的這些事情說也說不完。無盡就是他利益眾生的事，眾生是無窮無盡的，每個眾生都有無窮無盡的願望要求，一念地藏王菩薩聖號，地藏王菩薩就加持你，念得更多，還度你一直到成佛，豈止消災免難。我即使用上百千萬劫的時間來宣揚地藏王菩薩的不可思議的威神力量都說不完的，無窮無盡。

「地藏名字人若聞，乃至見像瞻禮者，香華衣服飲食奉，供養百千受妙樂，若能以此迴法界，畢竟成佛超生死。」這是總說。就是見聞見像瞻禮供養，不是只求自己一點人天的福報，也不只是爲了自己，而是爲了一切衆生；把求地藏菩薩這個功德、成果，迴向給一切衆生。有什麼效果呢？那不僅僅是消災免難了，能夠了生死，證菩提、成佛的方便法門。

在《占察善惡業報經》中說這是方便之中的方便，這種方便是地藏王菩薩願力的緣故，他是方便之中的方便，可是往往過份方便了，大家反而不信，總想找一個不方便的，找一個神祕的、困難的，說那個修了才可以成，你又克服不了困難，有很多問題你又做不到。即身成佛，地藏王菩薩沒有說即身成佛，只是說你要經過一段時間或經過很長的時間，為什麼呢？我們要持咒、受灌頂，特別是胎藏曼荼羅，大悲德修完了，即身成佛不錯了，你前面的四加行都沒有修，三業都沒有清淨，你怎麼能得到灌頂？你要想受持一個密宗的灌頂，你先得結壇，誰結過壇呢？現在我們周圍這些客觀環境，就是經濟再好的道友，你不會也不懂結壇的儀式，而且你不能親自結壇，你的上師要親自給你結壇，在你修的時候，上師必須守護你，我們能請到哪位上師守護自己去修？

念地藏王菩薩就很容易，隨時隨地任何時間，任何處所都可以。我們雖然當不了百億富翁，也當不了億萬富翁，但是我們求個溫飽總該可以吧！能夠不受逼迫，就已經很好了，就把這個比喻成你念念地藏王菩薩，起碼你暫時的現生安樂，地藏王菩薩又保證你不墮三塗，乃至於未來你多生累劫的修行，自然能成就佛果了，所以他說是畢竟成佛，能夠超脫生死的。

「是故觀音汝當知」，觀世音你應當知道，這是佛的口吻，釋迦牟尼佛對觀世音菩薩說的。「普告恆沙諸國土」，你的緣特多，你的威力也特大，以你的神力來宣揚地藏王菩薩以及《地藏經》的功德更容易一些。

見聞利益就是，你見一見聞一聞都算，至於得到什麼利益，我們說了老半天了，前面長行也說了，今天的偈誦也說了，就得到這麼多利益。我再囑託一句，大家要信別懷疑，我信了，有沒有修，功德都在，你一定能得到利益；未來你一定了生死，成就佛果。不信，就是拒絕，你沒有接受。信了，你就接受，我雖然沒有做到，現在接受，我總有一天要做到的，就是這麼個涵義。

囑累人天品　第十三

本經最後一品是〈囑累人天品〉，累是負累，我們有個負擔，這叫負累囑託，囑託什麼呢？釋迦牟尼佛大慈大悲，所有在忉利天參加法會的這些大衆，囑託他們將來一定要宣揚地藏法門、宣揚《地藏經》。

在第一品上說文殊師利菩薩用一千劫來看看在忉利天集會的諸佛菩薩，不知其數，乃至於天人鬼神都是不知其數的，文殊師利菩薩以一千劫的時間都不能算出來。佛最後說：「吾以佛眼觀故猶不盡數。」我用佛眼觀都不能徹底，都不能知道他的數字，那就說明了地藏王菩藏已經度脫的人有這麼多。那麼所有參加法會的這麼多人再去宣揚，佛囑託他們，給他們一個負擔，去宣揚地藏王菩薩！這一品就是這個意思。

佛對虛空藏菩藏說，聞到這部經，見到地藏王菩薩像，聽到地藏王菩薩的名字有二十八種利益。二十八種利益之後又說了七種利益。但是在《占察善惡業報經》並沒有說可以得到這麼多的利益，但同樣都是地藏王菩薩的法。《地藏經》沒有說「一實境界、二種觀行」，只說見聞利益，因爲佛知道末世衆生不可能修行「一實境界、二種觀行」，甚至於連聞名見相都會生起疑惑，要有信心都很難，爲什麼叫末法呢？爲什麼我們這個世界這麼苦惱呢？有它一定的因緣。

「爾時，世尊舉金色臂，又摩地藏菩薩摩訶薩頂，而作是言：『地藏！地藏！汝之神力不可思議，汝之慈悲不可思議，汝之智慧不可思議，汝之辯才不可思議，正使十方諸佛讚歎宣説汝之不思議事，千萬劫中不能得盡。地藏！地藏！記吾今日在忉利天中，於百千萬億不可説、不可説一切諸佛、菩薩、天龍八部大會之中，再以人天諸衆生等，未出三界在火宅中者，付囑於汝，無令是諸衆生墮惡趣中一日一夜，何況更落五無間及阿鼻地獄，動經千萬億劫無有出期！」

佛說完〈見聞利益品〉之後，又對地藏菩薩說：「你雖然是度了那麼多不可知數的衆生，但是我還是得給你增加負擔。」囑託給誰呢？囑託給地藏王菩薩。除了觀世音菩薩應當護持《地藏經》，我現在還要愼重的特別囑咐你；摸地藏王菩薩頂就是囑託地藏王菩薩，你永遠不要退心，永遠救拔衆生的一切苦難，這是囑託的言辭。「而作是言，地藏！地藏！」佛是連續尊稱他。我們有什麼事情囑託得特別愼重，會一遍又一遍的說，因爲佛這個時候要涅槃了，把這個未來度衆生的利生事業的責任，交給地藏王菩薩。

我不是給你增加負擔，是因爲你能做得到的，爲什麼呢？你有四種不可思議。其實地藏菩薩不可思議的事太多了，前面說了不可思議的無盡，這個地方僅舉出四種作代表。

「汝之神力不可思議」，就是他有無邊的妙力，救度衆生的妙力有無邊的方便，這是不可思議的。如果學過《占察善惡業報經》，還可以用占察輪，我們不是愛打卦愛測字、愛看面相？用占察輪占察占察。

如果有懷疑，你就擲輪，你念了一千聲地藏王菩薩，念了一萬聲地藏王菩薩，拜〈占察懺〉，看看你的三業清淨不清淨，你的懷疑就解決了，這是地藏王菩薩的一種神力。

「汝之慈悲不可思議」，我們舉一個偈子就可以知道了，從「地獄不空誓不成佛」這一個偈子就知道他的慈悲了。前面的地神稱讚地藏王菩薩就是這麼說的，文殊、普賢、觀音、彌勒他的願也是大慈大悲，但是有畢竟的時候，地藏王菩薩的願是無盡的，這就是他的慈悲了，因爲他救度衆生的願力，這個慈悲不可思議。

還有，「汝之智慧不可思議」，哪位大菩薩的智慧都是不可思議的，但是稱讚地藏王菩薩的智慧不可思議，說的是方便之中的方便，因爲他的智慧能夠加持衆生，例如供水，我們也供觀音菩薩水，也供大悲水，用觀音水灑淨，也做了很多的功德事情，觀世音菩薩沒有說你喝了他的水能得到智慧、能夠得到記憶力，這就是地藏王菩薩的智慧，這是他的方便法門。

「汝之辯才不可思議」，這個辯才顯示在《占察善惡業報經》當中；還有《大集十輪經》也顯示地藏王菩薩辯才不可思議。

「正使十方諸佛讚歎宣說汝之不思議事」僅僅說了四件，假使再說下去多得很，不是我自己一佛乃至十方諸佛說千萬劫都不能得盡，讚歎不完你的功德。這又重覆懇切的囑託，「地藏！地藏！」你看那符號都打驚歎號，驚歎號就是注意的意思，「記吾今日於忉利天中」，你千萬記住今天這個忉利天的法會裏頭，「於百千萬億不可說不可說一切諸佛菩薩天龍八部大會之中」，在這麼多的佛菩薩，這麼多的天龍八部之中，我再一次以人天諸衆生等，現在還沒有出三界，還沒有了生死，還在火宅裏過日子的衆生咐囑於汝。

在佛經裏形容我們這個世界就像著了火的房子，衆生都在火宅中，就像是三歲的小孩，不知道著火的可怕，當他身上沒有痛苦的時候，還在玩耍，叫他出去還不走，不知道我們是在火宅中，也不認爲這是火宅，但是諸佛菩薩天人看我們，是在火宅裏頭。佛說：「我把這些在火宅裏沒有得救的人囑託給你，你一定使這些衆生不要墮入惡趣，不但長時間不墮，連一日一夜都不要讓他在三惡道中受苦，何況更落五無間呢？到了無間地獄，時間就長了，千萬億劫。一日一夜的時間都希望你把他們救出來，何況是落五無間，墮到阿鼻地獄呢？那就是動經千萬億劫也沒有出期了，時間就很長了，我囑託你千萬不要讓他們墮到地獄裏頭，哪怕一日一夜都不可以，何況很長的時間呢？」

「地藏！是南閻浮提眾生，志性無定，習惡者多，縱發善心，須臾即退，若遇惡緣念念增長，以是之故，吾分是形百千億化度，隨其根性而度脫之。地藏！吾今殷勤以天人眾付囑於汝。未來之世，若有天人及善男子、善女人於佛法中種少善根，一毛一塵、一沙一渧，汝以道力擁護是人，漸修無上，勿令退失。」

爲什麼左一遍右一遍來囑託你？因爲這個國土、這個世界的眾生跟其他世界的眾生不一樣，他們的性情猶疑不定，熏習的種性隨時在變；今天做善，明天不做，又去做惡了，就這樣反反覆覆的。這個世界的眾生習惡者多，做善的很少，做壞事多而且做壞事不用學很容易。

我有時這樣想，十六、七歲乃至於說是十四、五歲還沒有長大成人，爲什麼要作那些殺人放火害人的事情呢？是從前生帶來的惡種性。乃至於他前輩子是好人，但是在他被惡人害的時候，發惡願了，他一發惡願來生就變惡人，想要報復。

我在青島，倓老法師跟我講過，他說未來的果報一批一批的，沒完沒了。這種道理，弘一法師也講了，所以弘一法師弘揚《地藏經》，念〈普賢行願品〉消這個災。只是我們發心，我們的力量消不了這個災；這裏讚歎地藏王菩薩不可思議的能力，我看還沒有衆生的業力不可思議，這句話就形容「志性無定習惡者多」。

縱然是發了好心，我們常聽到這麼句話，好心不得好報，眞是這樣，他發的好心又退了，這一念又去造惡了。今天造惡了，明天作善，再過幾天他又去做惡了，反反覆覆的；等他受報的時候，也是反反覆覆的。時而富貴安樂，時而受窮受苦，就這樣反反覆覆，而你做的報就叫華報，不是純善的也不盡惡，要是遇到客觀環境，他的惡業又增了，念念增長。

過去他念經，現在他做惡，善就全部消失了。如果他先做惡後來做善了，這個善夠保持到很多生。先做善後做惡，惡心猛厲，不曉得等到什麼劫，善才成熟，就是這麼反反覆覆的。遇到惡緣，他念念增長；因爲這個緣故「吾分是形」，這是釋迦牟尼佛說的，我並不是光現佛身，我以我的千萬億身化度一切衆生，隨衆生是什麼根基我就現何身度脫衆生。釋迦牟尼佛入滅，何曾入滅呢？他囑託觀世音度，地藏度，他自己不度？那只是示現，因爲他示現入涅槃，度了好多衆生，再示現降生，度了好多衆生。所以釋迦牟尼佛對地藏王菩薩說，我並不是只囑託你來度，我自己也分身千萬億來隨衆生的根度脫他們。

「地藏，吾今殷勲」，殷勲就是一而再，再而三勤勤懇懇的，以天人衆咐囑於汝，把現在沒有脫離三界的；不論生天的，在人中的，都囑託給你。如果有天人和善男子善女人對於佛法種少善根，一稱南無佛或者單合掌、小低頭見了三寶了，他高興一下，都算是種了善根。即使是像一寒毛那麼大，一微塵，或者一沙粒那麼多，一滴水那麼多，有這麼一點點善根，你以你的道力都要擁護保護這個人，別讓他退失，要讓他往前進，漸漸的修行，能夠達到無上道，究竟成佛。

「復次，地藏！未來世中，若天若人隨業報應落在惡趣，臨墮趣中，或至門首，是諸眾生若能念得一佛名、一菩薩名、一句一偈大乘經典，是諸眾生汝以神力方便救拔，於是人所現無邊身爲碎地獄，遣令生天，受勝妙樂。」

如果隨他所造的業，墮到惡道去了，沒有善根，如何救拔他呢？如果在墮惡道的時候，或者到了地獄門口，他能善根發現，念一佛名號，或者念一個菩薩名號，或者念大乘經的一偈一句，一個偈子也可以。古人說半句偈能破地獄之門，「若人欲了知，三世一切佛，應觀法界性，一切惟心造。」這是《華嚴經》第四會上，覺林菩薩讚歎佛的。若有人只念了一句，後面兩句忘了。「若人欲了知，三世一切佛。」就念這麼半句偈，地獄像全變了，立刻就變成天堂，這也就是所謂半句偈，能破地獄之門。

或者是只要能念一句或者一偈大乘經典，「是諸衆生」，說這個衆生，你以你的神力方便把他救脫了，在這個人的身前現無邊身，把這個地獄碎掉，令他生天。因爲他的善根很少，生天就很不容易，等到那時候能念半句偈或念一聲佛號是太困難了，到那個時候還能想得起佛號？諸佛菩薩雖大慈大悲，但是難度無緣之人，他能念半句或念一聲佛號念一個菩薩名，等於是有緣的。

我們在北京的一個道友看見一個老太太領一個小孩子，祖孫倆人當乞丐在要飯，他發起大悲心了，他自己有間廟，他跟她倆商量，他說：「老奶奶，我跟你商量件事，你跟這小孩要飯很苦，可不可以把這小孩子給我做徒弟，我在廟裏養著你們，你也去廟裏當個淨人，吃現成的，讓他學學佛，免得受苦難。」這婆婆把眼睛一瞪道：「我們要飯已經夠倒霉了，你還讓他去當和尚！」大家聽這句話是什麼涵義？說他要飯夠倒霉了，當了和尚比要飯更倒霉。你要讓他信仰三寶，他都不會有這個善心的，善緣不容易種。

沒有善緣，你想度她也很難。大家都有親友，除非他的善緣、善根發現了，你一說他很高興，他願意跟你信。有些人你一說，他看看你扭頭就走了，理都不理，你有沒有這樣的親友？我想你們會碰得到。當到地獄時能念聲佛號，還是有大善根的，當然不會下地獄，因爲你心裏頭念一聲佛號，念一句大乘經典，你意識當中的善根就發現了。這些人都是有善根的，不然受不到那種好處。

「爾時，世尊而說偈言：
現在未來天人眾，　吾今殷勤付囑汝，
以大神通方便度，　勿令墮在諸惡趣。」

這個偈語就是這麼一句話，受到佛一而再再而三殷勤的囑託，地藏王菩薩就表態了。

「爾時，地藏菩薩摩訶薩胡跪合掌白佛言：世尊！唯願世尊不以爲慮，未來世中若有善男子、善女人於佛法中一念恭敬，我亦百千方便度脫是人，於生死中速得解脫，何況聞諸善事念念修行，自然於無上道永不退轉。」

地藏王菩薩就承受佛的囑託，胡跪合掌是接受法的一個意思。地藏王菩薩說：「世尊你不要憂慮了！我知道，未來世的這些衆生，善男子、善女人，他們只要對佛法有一念的恭敬心，一念的恭敬三寶，恭敬地藏王菩薩，我會想種種方法使這個人得度，使他別在生死之中常流轉，讓他趕快得解脫。」解脫就是了脫生死的意思，這僅僅是一念。」何況聞諸善事念念修行，自然於無上道永不退轉。」聞了佛法之後乃至於做好事善事，這個善事是，十善業身。爾後又念念的修行，自然於無上道永不退轉，一定能成佛，不會退到三惡道去，乃至於菩提道決不退，不退轉就是獲不退位，永遠不退道。

「說是語時，會中有一菩薩名虛空藏。」

這時有另一位大菩薩叫虛空藏，爲什麼叫虛空藏呢？他含藏的功德，像虛空一樣，藏者含藏意，就是庫藏的意思；他的庫藏像虛空那麼大，虛空是無所不包。這位菩薩的功德，在《華嚴經》、《大集十輪經》裡，是不可思議的，他的功德就像虛空那麼多。

《十輪經》上有一位菩薩問佛，何故名虛空藏？是什麼因緣叫虛空藏？問話的這位菩薩叫速辯，他的辯才很迅速很猛厲；速辯菩薩愛發問，凡是發問都是智慧很大的菩薩。佛就告訴他說，譬如一個富有的人，他的庫藏很多無窮無盡，他心裏沒有慳吝而去布施，凡是貧窮的到他那裡去求，他都布施滿他的意，虛空藏菩薩就像那個大長者似的，他有無窮無盡的功德施給眾生，這叫虛空藏。這個虛空藏菩薩來請示佛，請示什麼呢？還是地藏王菩薩的利益，地藏王菩薩利益眾生究竟有好多，他又重覆來請示。

「白佛言：世尊！我自至忉利，聞於如來讚歎地藏菩薩威神勢力不可思議，未來世中若有善男子、善女人，乃及一切天龍聞此經典及地藏名字，或瞻禮形像，得幾種福利？唯願世尊爲未來、現在一切衆等略而說之。」

在這段經文中，虛空藏菩薩是當機衆，上一段是觀世音菩薩。虛空藏菩薩問佛說，我到忉利天以來，一直是聽您讚歎地藏王菩薩不可思議的威神勢力。未來的世中，如果有善男子、善女人或者一切天龍聞到《地藏經》，或者聽到地藏王菩薩的名字，或者瞻仰頂禮地藏王菩薩形像，能得到幾種福利啊？想請世尊給未來的衆生或者現在的衆生略而說之。「略而說之」，當然是功德太多不能說詳盡，這個法會說的時間太久了，說到這裡也就要結束了，請佛簡略說一說，讓大家好記。

「佛告虛空藏菩薩：諦聽，諦聽！吾當爲汝分別說之。若未來世有善男子、善女人見地藏形像及聞此經，乃至讀誦、香華、飲食、衣服、珍寶，布施供養，讚歎瞻禮，得二十八種利益：一者天龍護念，二者善果日增，三者集聖上因，四者菩提不退，五者衣食豐足，六者疾疫不臨，七者離水火災，八者無盜賊厄，九者人見欽敬，十者神鬼助持，十一者女轉男身，十二者爲王臣女，十三者端正相好，十四者多生天上，十五者或爲帝王，十六者宿智命通，十七者有求皆從，十八者眷屬歡樂，十九者諸橫銷滅，二十者業道永除，二十一者去處盡通，二十二者夜夢安樂，二十三者先亡離苦，二十四者宿福受生，二十五者諸聖讚歎，二十六者聰明利根，二十七者饒慈愍心，二十八者畢竟成佛。

復次，虛空藏菩薩，若現在、未來天龍鬼神聞地藏名，禮地藏形，或聞地藏本願事行，讚歎瞻禮，得七種利益：一者速超聖地，二者惡業銷滅，三者諸佛護臨，四者菩提不退，五者增長本力，六者宿命皆通，七者畢竟成佛。」

佛告訴虛空藏菩薩要諦聽，你如理的聽，恭恭敬敬的，如是一實境界的來聽，我一樣一樣的跟你說。「吾當爲汝分別說之」，不是籠統的說，這個功德有二十八種，後頭又加七種，七種跟二十八種是相同的，不過是簡略一些。

佛就跟他說，要是未來世，也就是指我們的當機眾，現在的我們都是這個法會上未來世的當機眾，有善男子、善女人見到地藏的形像，（地藏王菩薩的形像怎麼樣塑的都有，有的立像，有的站像，有的光頭，有的拿錫杖，各種形像不一樣。）「及聞此經」，此經就是《地藏經》，「乃至讀誦」，不僅是聽，而且還能讀，照著經本念，背著經本誦，更以香華、飲食、衣服、珍寶來布施供養或者讚歎，稱讚地藏王菩薩的功德。「瞻禮」，就是頂禮，如此就能得到二十八種利益。。

「一者天龍護念」，天龍護念就是八部鬼神。「龍」，大家不要會錯意了，龍的種類有很多，在天上守藏的龍，護守國家的庫房的。在地底埋藏的珍寶有龍守護，或者是長成的靈芝草，都有蛟守護，那就是龍的化身，都是守護神。或像我們中國的棒鎚，所謂棒鎚就是人蔘，像美國的花旗蔘，或韓國的高麗蔘，這個蔘不是，我說的棒鎚是眞正長成人形的，吃了能延壽千年。人要將死的時候，給他喝，讓他念七天的地藏王菩薩聖號，念佛的名字那就好了，你要是能買到這種人蔘熬點水喝下去，他這口氣總是嚥不下去，能活七天。

天龍的享受跟天人差不多，但是他有痛苦，每天到了日中時分，他要化成畜生，每一個鱗甲裏有些小動物吃他，癢得不得了，他要受這麼一個時辰的苦，他身上排泄的氣味，自己都不愛聞。所以龍種有好多種，這裡所指的龍不是人間生的龍，而是天龍得道的。經中常提到天龍來護念你，凡是有《地藏經》所在，凡是你供養過地藏王菩薩，有地藏王菩薩像的所在，天人或者龍都來護念你。例如你念經的時候，有時感覺身上發熱了，有時發冷，有時候有點恐怖感，那是菩薩來了，不是天龍，大菩薩來了功德很大的，你感覺到了，就為他的德所攝，你感覺有點恐怖，沒有關係，你照樣念你的經，他是來護持你，不是害你的。

「二者善果日增」，你所積的善果所種的因，一天一天的增長，將來所得的果報愈來愈大。「三者集聖上因」，就是要成聖人超出三界了，了生死證涅槃。「四者菩提不退」，直至成佛菩提，就是覺悟義，一定能成道，阿耨多羅三藐三菩提不會退失的。「五者衣食豐足」，現世有吃有穿。「六者疾疫不臨」，不害病，不會得到瘟疫、傳染病，也不會生病的。「七者離水火災」，有小災有大災，能夠脫離，在火災水災當中，你不受危害。

「八者無盜賊厄」，盜賊不會偷你的，也不會搶你的。你只要念一部《地藏經》，只要天天念地藏王菩薩聖號，這種苦難你不會遇到的。「九者人見欽敬」，人家看見你都歡喜，恭敬你，欽佩你。「十者神鬼護持」，這比天龍的威力要大些，一般的善神、善鬼都幫助你。「十一者女轉男身」，你不願做女人身，可以轉男人身。「十二者爲王臣女」，你願意當女人不願變成男身，可以給國王大臣做女兒。「十三者端正相好」，不論是男是女都長得相貌端正。「十四者多生天上」，少來人間，三惡道根本永遠不會去了，聞到名字誦了《地藏經》的，有這種好處。「十五者或爲帝王」，來到人間或者做帝王。

「十六者宿智命通」，能知過去宿命的智慧，這個智慧能知道你過去多生的事情。我前生做什麼，大前生乃至於三十生，三百生，三大劫你都做什麼了；羅漢只知道三大劫，三大劫以上，羅漢就不知道了，不過這些大菩薩能知道。

「十七者有求皆從」，這是滿願，你求什麼不會有困難的。凡是誦地藏王菩薩聖號，讀《地藏經》不是有非分要求，決不想害人，說那個人跟我有仇，我念《地藏經》讓他倒霉，這種要求絕對不靈的。菩薩絕對不會讓你去害人，要想害人，這個願不得從的。不是說有求皆從嗎？那是不行的，你得跟地藏王菩薩的願相符合。

「十八者眷屬歡樂」，就是六親眷屬都很快樂。「十九者諸橫消滅」，橫事就是不如意事或者橫死，飛災橫禍，不會降臨到你頭上，一到你頭上也化解了。「二十者業道永除」，三惡業道永遠除滅了。「二十一者去處盡通」，你要生人天或求往生淨土，能夠通到。「二十二者夜夢安樂」，不但說你醒的時候快樂，就連做夢都快樂，不會做惡夢。「二十三者先亡離苦」，就是你過去死亡的六親眷屬一定能脫離苦難，但是你得給他們迴向，以你誦地藏王菩薩聖號、念經的功德迴向給死亡的親友，讓他們能夠脫離痛苦。

「二十四者宿福受生」，你要是再轉生就能帶著你的福德智慧去受生，把你過去所做的福德顯現出來。「二十五者諸聖讚歎」，諸聖讚歎就是佛菩薩，他令人讚歎你。

「二十六者聰明利根，二十七者饒慈愍心，二十八者畢竟成佛。」「若現在、未來天龍鬼神聞地藏名，禮地藏形，或聞地藏本願事行，讚歎瞻禮」，這樣就可以得到七種利益。前面所說的二十八種利益是指在人道中，修行所得的利益；要是未來的天龍鬼神，聞地藏名，禮地藏形，也可以得到七種益。二十八種利益與七種利益，可以分開也可以合起來說。

「一者速超聖地」，天人都有五種神通，假使精進修行了，天人就可以得到漏盡通，成道證果，可以斷了見思二惑。

「二者惡業銷滅」，鬼神也有業，無始的業障還是很重，祇不過生了天，但是這種福德還是會退失的。現在依地藏王菩薩的力量，消除了無始的業障，這裡是指天神而說的。

「三者諸佛護臨」，要是依照《地藏經》來修行，見與諸佛的見是一樣的，他的心藏與地藏菩薩的地藏、佛的佛藏都合爲一體了。他的行同佛行，德同佛德，是這樣的涵義。

「四者菩提不退」，把一切惑業斷了，見了眞，證菩提果，永遠不退道。

「五者增長本力」，愈是修行，性德就愈彰顯，障礙消除的愈多，這樣可以增加你內心的力量。

「六者宿命皆通」，有宿命通就好了，過去發了什麼願，自己都不知道，你今生可以遇見《地藏經》，這都是過去有發願的。

「七者畢竟成佛」。

「爾時十方一切諸來不可說不可說諸佛如來及大菩薩、天龍八部，聞釋迦牟尼佛稱揚讚歎地藏菩薩大威神力不可思議，歎未曾有。是時忉利天雨無量香華、天衣、珠瓔，供養釋迦牟尼佛及地藏菩薩已，一切眾會俱復瞻禮合掌而退。」

這是最後一段經文，是指地藏菩薩的功德不可思議。

《地藏本願經》，或名《地藏本行》，或名《地藏本誓力經》，發誓是堅定、決定這麼做；這部經就是說明地藏菩薩的大願，我們要學地藏菩薩，就要發大願。可是發大願要注意一點，特別是對你的冤家、仇人不要生起恨心了，要發願先度他們。父母、六親眷屬可以慢一點，因爲你的冤家、仇人會處處找你麻煩，不要再對他們生起恨心了。度冤家、仇人是發大慈悲心的最好方式，心量要開闊一點。

另外，我勸大家誦《地藏經》，要一天誦一部《地藏經》，如果沒有時間，那麼，一天誦一品總可以，有時經文很簡短，可以誦二品，特別要在十齋日誦經。《地藏經》的修行法門很多，你照著做就可以了。誦經的時候，就是修行，念地藏聖號，就是修行。有些人念經不知道自己是在修行，有些人念佛不知道自己就是在修行，還去找別的修行法門，這就是末法的衆生。

在末法中的正法，是指我們聞到法，就去做，這就是正法；對你而言，讀誦受持，教化別人，法就不末，你是在行菩薩道。對於不知不覺的人而言，這是末法，聽了還毀謗，這不但是末法，還是地獄種子，地獄種子種下了，那就下地獄了。

文殊菩薩在〈淨行品〉中教導我們，一定要善用其心，用得好，罪惡可以變成智慧，變成福德；用得不好，福德會變成惡業。現在《地藏經》圓滿了，希望大家善用其心！

卷下竟

《地藏經講述》勘誤表

	頁數	行數	誤	正
中冊	195	5	度惡鬼	度餓鬼
中冊	195	5	見惡鬼	見餓鬼
下冊	20	2	波羅門	婆羅門

國家圖書館出版品預行編目資料

地藏菩薩本願經：夢參老和尚主講
方廣編輯部整理．--初版．
--台中市；方廣文化，2002--　(民91)
　面：　　公分
ISBN 957-9451-71-0
1.方等部
221.36　　91014798

地藏菩薩本願經《卷下》

主講：上夢下參老和尚
出版：方廣文化事業有限公司
錄音帶整理：溫哥華居士、方廣編輯部
住址：台北市大安區和平東路一段一七七-二號十一樓
電話：(〇二)二三九二-〇〇〇三　傳真：(〇二)二三九一-九六〇三
劃撥帳號：一七六二三四六三
戶名：方廣文化事業有限公司
封面設計：大觀創意團隊
印製：鎏坊工作室
裝訂：精益裝訂有限公司
經銷：飛鴻國際行銷有限公司
電話：(〇二)八二一八-六六八八　傳真：(〇二)八二一八-六四五八
出版日期：公元二〇一七年元月 二版四刷
定價：新台幣二二〇元
行政院新聞局出版登記證：局版臺業字第六〇九〇號
網址：www.fangoan.com.tw
電子信箱：fangoan@ms37.hinet.net

No：D506-3

方廣文化出版品目錄〈一〉

夢參老和尚系列
書籍類

● 華 嚴

H203 淨行品講述
H224 梵行品新講
H205 華嚴經普賢行願品講述
H206 華嚴經疏論導讀
H208 淺說華嚴大意
HP01 大乘起信論淺述
H209 世主妙嚴品(三冊)【八十華嚴講述①②③ 】
H210 如來現相品・普賢三昧品【八十華嚴講述④】
H211 世界成就品・華藏世界品・毘盧遮那品【八十華嚴講述⑤】
H212 如來名號品・四聖諦品・光明覺品【八十華嚴講述⑥】
H213 菩薩問明品【八十華嚴講述⑦】

● 般 若

B401 般若心經
B406 金剛經
B409 淺說金剛經大意
B410 般若波羅蜜多心經講述

● 地藏三經

地藏經

D506 地藏菩薩本願經講述（全套三冊）
D516 淺說地藏經大意

占察經

D509 占察善惡業報經講記(附HIPS材質占察輪及修行手冊)
D512 占察善惡業報經新講《增訂版》

大乘大集地藏十輪經 D507（全套六冊）

D507-1 地藏菩薩的止觀法門（序品 第一冊）
D507-2 地藏菩薩的觀呼吸法門（十輪品 第二冊）
D507-3 地藏菩薩的戒律法門（無依行品 第三冊）
D507-4 地藏菩薩的解脫法門（有依行品 第四冊）
D507-5 地藏菩薩的懺悔法門（懺悔品 善業道品 第五冊）
D507-6 地藏菩薩的念佛法門（福田相品 獲益囑累品 第六冊）

方廣文化出版品目錄〈二〉

夢參老和尚系列

書籍類

● 楞嚴

LY01 淺說五十種禪定陰魔 —《楞嚴經》五十陰魔章
L345 楞嚴經淺釋 (全套三冊)

● 天台

T305 妙法蓮華經導讀

● 開示錄

S902 修行
Q905 向佛陀學習【增訂版】
Q906 禪・簡單啟示【增訂版】
Q907 正念

DVD

D-1A 世主妙嚴品《八十華嚴講述》(60講次30片珍藏版)
D-501 大乘大集地藏十輪經 (上下集共73講次37片)
D-101 大方廣佛華嚴經《八十華嚴講述》
(繁體中文字幕 全套482講次 DVD 光碟452片)

CD

P-05 金剛般若波羅蜜經 (16片精緻套裝)

錄音帶

P-02 地藏菩薩本願經 (19卷)

方廣文化出版品目錄〈三〉

地藏系列

D503 地藏三經
(地藏菩薩本願經、大乘大集地藏十輪經、占察善惡業報經)

D511 占察善惡業報經行法 (占察拜懺本) (中摺本)

華嚴系列

H201 華嚴十地經論

H202 十住毘婆沙論

H207 大方廣佛華嚴經 (八十華嚴) (全套八冊)

般若系列

B402 小品般若經

B403A 大乘理趣六波羅蜜多經

B404A 能斷金剛經了義疏 (附心經頌釋)

B408 摩訶般若波羅蜜經 (中品般若) (全套三冊)

天台系列

T302 摩訶止觀

T303 無量義經 (中摺本)

T304 觀普賢菩薩行法經 (中摺本)

部派論典系列

S901A 阿毘達磨法蘊足論

Q704 阿毗達磨俱舍論 (全套二冊)

S903 法句經 (古譯本) (中摺本)

瑜伽唯識系列

U801 瑜伽師地論 (全套四冊)

U802A 大乘阿毗達磨集論

B803 成唯識論

B804A 大乘百法明門論解疏

B805 攝大乘論暨隨錄

憨山大師系列

HA01 楞嚴經通議 (全套二冊)

方廣文化出版品目錄〈四〉

密宗系列

M001 菩提道次第略論釋
M002A 勝集密教王五次第教授善顯炬論
M003 入中論釋
M004 大乘寶要義論(諸經要集)
M006 菩提道次第略論
M007 寂天菩薩全集
M008 菩提道次第廣論
M010 菩提道次第修法筆記
M011 白度母修法(延壽法門修法講解)
M012 中陰-死亡時刻的解脫
M018 菩提道次第廣論集註(卷一～卷十三)
M019 佛教的本質-《佛教哲學與大手印導引》

能海上師系列

N601 般若波羅蜜多教授現證莊嚴論名句頌解
N602 菩提道次第論科頌講記
N345 戒定慧基本三學
N606 能海上師傳
N607 現證莊嚴論清涼記
N608 菩提道次第心論

論頌系列

L101 四部論頌
(釋量論頌 現證莊嚴論頌 入中論頌 俱舍論頌)
L102 中觀論頌 (中摺本)
L103 入菩薩行論頌 (中摺本)
L104A 彌勒菩薩五部論頌
L105A 龍樹菩薩論頌集
L106 中觀論頌釋
R001 入中論頌 (小摺本)

方廣文化出版品目錄〈五〉

南傳佛教系列

SE05 七種覺悟的因素
SE06 南傳大念處經(中摺本)
SE07 三十七道品導引手冊《阿羅漢的足跡》(增訂版)
SE08 內觀基礎《從身體中了悟解脫的真相》
SE09 緬甸禪坐《究竟的止觀之道》(增訂版)

其他系列

Q701 單老居士文集
Q702 肇論講義
Q703B 影 塵-倓虛老法師回憶錄
Q705 佛學小辭典 (隨身版)
ZA01 參 禪 《虛雲老和尚禪七開示》
ZA02 禪淨雙修 《虛雲老和尚開示錄》
Z005 《禪宗公案》-李潤生著

方廣文化事業有限公司
http://www.fangoan.com.tw